ANWBEXTRA

De 15 hoogtepunten in een oogopslag

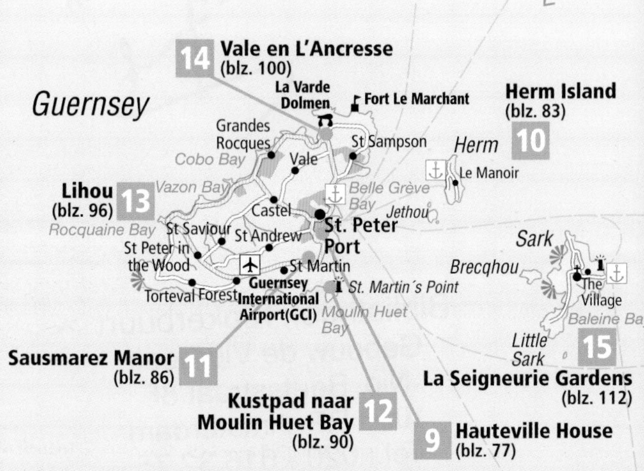

Fiets- of wandeltocht St Peter / St Lawrence (blz. 45)

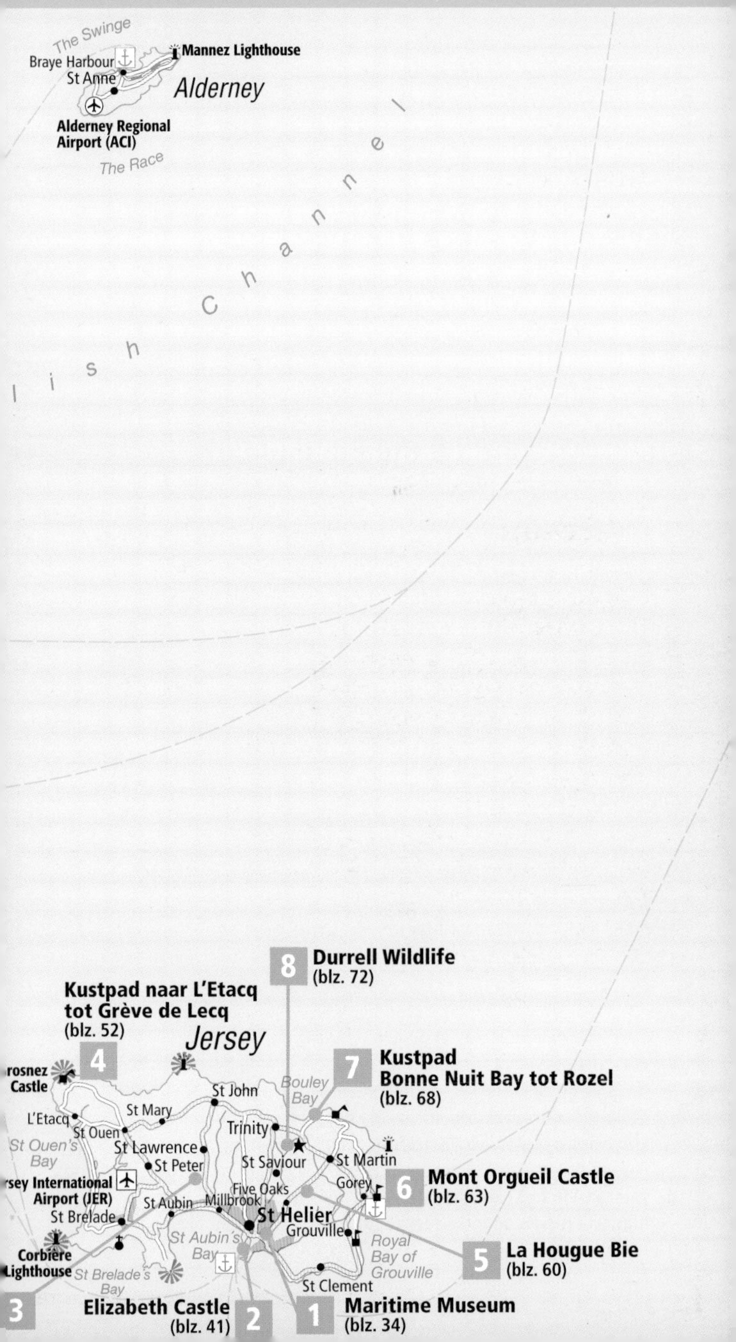

The Swinge
Braye Harbour
St Anne
Mannez Lighthouse
Alderney
Alderney Regional Airport (ACI)
The Race

Channel

8 Durrell Wildlife (blz. 72)

4 Kustpad naar L'Etacq tot Grève de Lecq (blz. 52)

Jersey

7 Kustpad Bonne Nuit Bay tot Rozel (blz. 68)

rosnez Castle
L'Etacq
St Ouen
St Ouen's Bay
St Mary
St John
Bouley Bay
Trinity
St Lawrence
St Peter
St Saviour
St Martin
rsey International Airport (JER)
Five Oaks
Gorey
Millbrook
St Aubin
St Brelade
St Helier
Grouville
St Aubin's Bay
Corbière Lighthouse
St Brelade's Bay
Royal Bay of Grouville
St Clement

6 Mont Orgueil Castle (blz. 63)

5 La Hougue Bie (blz. 60)

3

Elizabeth Castle (blz. 41) 2

1 Maritime Museum (blz. 34)

Welkom

Onderweg op de Kanaaleilanden

De 15 hoogtepunten

Deze symbolen in de tekst verwijzen naar een plattegrond

1 Dit symbool in de tekst verwijst naar één van de 15 hoogtepunten

Bienv'nus! – Welkom

Al sinds 1874 waarschuwt de vuurtoren Corbière Lighthouse de scheepvaart voor vervaarlijke zandbanken en kliffen bij de zuidwestelijke punt van Jersey. Hij begroet ook de reizigers die per veerboot van Guernsey en Sark naar Jersey komen, terwijl hun schipper ondertussen zijn uiterste best doet om de gevaarlijke plekken te ontwijken. Rondom hen raast de branding. Hoe anders is het tafereel bij eb: dan is de geplaveide weg naar de vuurtoren zichtbaar en kunnen bezoekers met droge voeten de oversteek maken.

Ter oriëntatie

Jersey

Wie per vliegtuig reist, krijgt gelijk een goed beeld van de bijzondere ligging van de *Iles anglo-normandes*, zoals de eilanden in het Frans heten. De zandstranden van Normandië zijn nog maar net gepasseerd en daar ligt Jersey al, het zuidelijkste en grootste eiland van de archipel in het Kanaal, twee keer zover van Engeland verwijderd als van Frankrijk. Het is niet ver van de luchthaven in het uiterste westen van Jersey naar de hoofdstad **St-Helier** ▶ Kaart 3, P 22/23. Hier, en aan de zuidwestelijke kust in het mooie havenstadje **St-Aubin** alsmede aan **St-Brelade's Bay,** liggen de meeste hotels.

In het westen, achter de door stormen geplaagde zuidwestelijke kaap **La Corbière** met zijn vuurtoren, beslaat het kilometerslange zandstrand van **St-Ouen's Bay** de gehele westkust van Jersey. De duinen omarmen in het noorden de roze granietkliffen van **L'Etacq**.

Het oosten van Jersey herbergt een interessante combinatie van natuur en cultuur: in het groene hart van het eiland vindt u parken en landgoederen, alsmede het grootste graf van het eiland uit het stenen tijdperk, **La Hougue Bie**. De middeleeuwse burcht **Mont Orgueil** in **Gorey** is het hoogtepunt van de anti-Franse verdedigingswerken ▶ Kaart 3, R 22. De martellotoren in de baai die loopt van St-Clement's tot St-Catherine's Bay, is tekenend voor de strategische betekenis van de eilanden in de eeuwige strijd tussen de Britten en de Fransen.

Jerseys noordkust, die gedeeld wordt door de gemeenten St-Martin en Trinity, St-John en St-Mary tot St-Ouen in het noordwesten, is ruig en wild. Hier zult u nauwelijks stranden en havens vinden, maar dat wordt gecompenseerd door het prachtige decor en de ongerepte natuur, die u wandelend over het kustpad optimaal beleeft. In het binnenland domineert de gecultiveerde natuur in de vorm van aardappelakkers en weiden met zachtmoedige Jerseykoeien – en de dierentuin **Durrell Wildlife**. Een bezoekje aan de gorilla's en lemuren is leuk en leerzaam.

Guernsey

Wie Guernsey per schip nadert, krijgt al in de haven van **St-Peter Port** ▶ Kaart 4, D 12 een indruk van de hoofdstad van het eiland, die trapvormig tegen de steile klippen leunt. De ligging bekoorde ook Victor Hugo, die er zijn ballingschap doorbracht; zijn huis is zeker een bezoekje waard. Omhoog en omlaag kronkelen hier de steile steegjes met schilderachtig uitzicht op haven, zee en de andere eilanden. In High Street wemelt het van de mensen, en verleiden groene tuinen tot een momentje rust.

Vanuit het vliegtuig hebt u prachtig uitzicht over het op een na grootste kanaaleiland, van de kust van St-Peter Port in het oosten tot **Lihou** ▶ Kaart 4, A 12 in het uiterste westen – Guernsey is een overzichtelijke reisbestemming. In het zuiden bereikt u door intieme dalen de schilderachtige stranden, zoals **Moulin Huet** ▶ Kaart 4, D 13 of **Petit Bôt** ▶ Kaart 4, C 13. Over het kustpad is de kust – in etappes – in nog geen week tijd vanaf St-Peter Port te bewandelen. Uitstapjes brengen u bij culturele bezienswaardigheden als het statige Sausmarez Manor in **St-Martin** ▶ Kaart 4, D 13 of de parochiekerk van het dorp met de oeroude 'grootmoeder van de begraafplaats', een menhir uit de steentijd. In het westen en noorden van Guernsey, rijk aan wind en golven, liggen vestingen uit napoleontische tijd en bunkers van de Duitse bezetter uit de Tweede Wereldoorlog, maar ook hunebedden.

Maak vooral ook een uitstapje (halve dag) naar het mini-eiland **Herm** ▶ Kaart 4, F/G 11/12 op een steenworp afstand van Guernsey. Op dit kleine oppervlak vindt u vlakke zandstranden, zoals het helderwitte Shell Beach, en in het zuiden steile rotsklippen en meerdere vogelrotsen, waar in de zomermaanden met een verrekijker papegaaiduikers en jan-van-genten te bewonderen zijn.

Sark en Alderney

De buureilanden van Guernsey, die per boot of vliegtuig bezocht kunnen worden, zouden nauwelijks verschillender kunnen zijn. Het autovrije hoogplateau **Sark** ▶ Kaart 4, H-K 12-14 ademt de sfeer van 'de goeie oude tijd'; het is een charmant bloemeneiland met een van de mooiste tuinen van Europa en het oude herenhuis **La Seigneurie**. Groene dalen leiden naar verscholen baaien, en wie over de landengte La Coupée helemaal naar **Little Sark** wandelt, wordt beloond met een spectaculaire steile kust vol grotten en inhammen.

Alderney ▶ Kaart 2, ligt maar 15 km verwijderd van de noordwestelijke punt van Normandië en is het makkelijkst te bezoeken per vliegtuig. Naast de leuke hoofdstad **St-Anne** heeft het eiland een dorre, ruige natuur, maar ook mooie baaien als Braye Bay en Longis Bay. De Victorianen zetten aartsvijand Frankrijk veertien forten pal voor de neus; de meeste daarvan zijn vervallen. Van 1940-1945 gebruikte de Duitse bezetter het afgelegen eiland als vesting en concentratiekamp voor dwangarbeiders en gevangenen uit heel Europa. Dit ruige eiland trekt vandaag de dag vooral vogelliefhebbers. Bijna nergens zijn zeevogels van zo dichtbij te beleven als hier.

Ook bij vloed een zandstrand: de baai Grève de Lecq in het noorden van Jersey

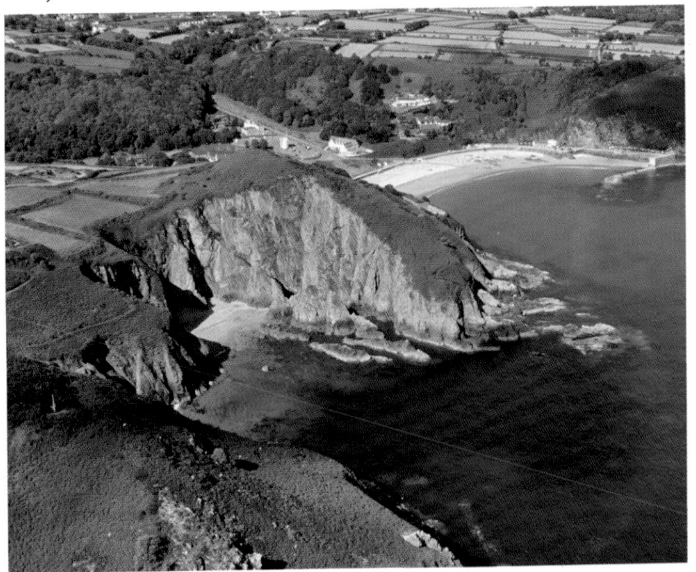

Kennismaking, Kanaaleilanden in cijfers

Normandisch erfgoed

Victor Hugo noemde de Kanaaleilanden ooit 'kleine stukjes Frankrijk die in zee zijn gevallen en door Engeland zijn opgepikt ...', refererend aan de historische wortels van de eilanden. De rechtsorde die de Kanaaleilanden nog altijd hanteren, dateert uit de middeleeuwen: de wettencodex *Le Grand Coutumier* geldt hier al sinds de 13e eeuw. Een van de tot op heden gepraktiseerde eigenaardigheden van dit Normandische recht is de 'Clameur de Haro': wie zich onrechtmatig behandeld voelt door overheid, buren of anderen, kan direct een appèl doen op de hoogste gerechtelijke instantie. Hij of zij heeft daarvoor slechts twee getuigen nodig, in wiens aanwezigheid hij op een knie valt en 'Haro, haro, haro...' roept. Deze spreuk zou zijn afgeleid van 'Ha, Rollo', de naam van de eerste Normandische hertog.

Eilandpolitiek

Wat het Britse parlement in Westminster besluit, is voor de States of Jersey and Guernsey ook vandaag de dag niet bindend – ze volgen de orders van de Queen. De Engelse koningin is als Duke of Normandy het staatshoofd. De Bailiff (voogd) fungeert als regeringschef van Bailiwick of Jersey en Bailiwick of Guernsey (met Alderney, Sark en Herm). De vier grootste eilanden bezitten elk een eigen parlement; de States of Jersey komen bijeen in het Royal Court in St-Helier, de States of Guernsey in St-Peter Port. Alderney wordt geregeerd door een president die gekozen wordt door de States of Alderney, en Sark – dat tot in de 21e eeuw feodaal werd geregeerd – is inmiddels na de nodige hervormingen een van de jongste democratieën van Europa. De Kanaaleilanden zijn geen volwaardig lid van de Europese Unie maar volgen zoveel mogelijk de Europese regels ten aanzien van mensenrechten en democratie.

De eilandbewoners zijn nog altijd trots op hun tradities en hun zelfstandigheid, en overal is het wapen te zien van de drie gouden luipaarden, het embleem van Normandië, dat op de vlag van Jersey gecombineerd wordt met het rode andreaskruis. De Normandische dialecten (patois) *Jèrriais* en *Gernesiais* hebben echter plaatsgemaakt voor het Engels.

De huidige grenzen van de gemeenten of parochies *(parishes)* op Jersey, Guernsey en Sark weerspiegelen nog altijd de middeleeuwse, feodale structuur. Elke parochie herbergt het herenbuiten of *manoir* van de *seigneur*. Elk van de twaalf *parishes* van Jersey heeft een eigen aanlegsteiger in zee, de **perquage**: de niet te missen weg voor veroordeelden die de voorkeur gaven aan verbanning boven voltrekking van het oordeel.

Het ritme der getijden

De Kanaaleilanden kennen een van de grootste getijdeverschillen ter wereld: 12 m, bij springvloed zelfs 15 m. Bij vloed krimpt menig goudgeel zandstrand ineen tot een klein reepje zand – of verdwijnt zelfs helemaal! Snelle en bijzonder gevaarlijke zeestromingen als The Race (Raz) tussen Alderney en Cherbourg, als ook riffen en slenken die bij vloed niet te zien zijn, maken deze wateren moeilijk bevaarbaar en hebben al menig schip tot een wrak gereduceerd. De talloze onbewoonde rotsen als de

Het milde klimaat in het Kanaal levert een weelderige bloemenpracht op

Douvres, Casquets, Écréhous, Minquiers en Paternoster Rocks behoren volledig toe aan de vogels. Een kolonie jan-van-genten *(gannets)* zal zelden zo dicht bij de kust te bewonderen zijn als op Les Etacs bij Alderney het geval is. Papegaaiduikers *(puffins)* broeden in de zomer op vlakke zandeilanden als Burhou, en voor de steile kust is het een komen en gaan van onder andere sternen, aalscholvers en scholeksters.

Mild Golfstroomklimaat

De Kanaaleilanden herbergen heel wat planten die eigenlijk inheems zijn in Zuid-Europa, zoals hazestaart, trilgras, zeevenkel, *scilla* en het metershoge *lavatera trimestris*, een malvensoort. En dan zijn er nog de uit tuinen 'ontsnapte' soorten die de onbegaanbare kliffen tooien, zoals de knalroze bloeiende middagbloemen uit Zuid-Afrika, of die op decoratieve wijze gaten in de muur opvullen, zoals de venusnavel en het witroze 'madeliefje' *Erigeron carvinscianus* uit Mexico. In menige voortuin pronkt in de herfst de Guernsey Lily *(Nerine sarniensis)*, een uiengewas uit Zuid-Afrika dat in de 17e eeuw met een schip uit Guernsey meekwam, en de Jersey Lily, een amaryllis-soort. Verder worden de tuinen en parken gedomineerd door camelia's, rododendrons en azalea's, hortensia's, fuchsia's, laurier, palmen en boomvarens. Een ware blikvanger is het grote slangenkruid met zijn mooie bloempjes, dat op de Canarische Eilanden en Madeira inheems is. De groenblijvende steeneik en de tamarix behoren tot de mediterrane boomsoorten en struiken die zich op de Kanaaleilanden meer dan thuis voelen.

Verschillend reliëf

Verantwoordelijk voor het kenmerkende milde klimaat van Jersey is het reliëf: een vlak, naar het zuiden neigend plateau met hoge en steile kliffen die in het noorden tot 100 m uit zee oprijzen, en relatief vlakke kusten in het zuiden. Het wegstromende water heeft in dit plateau diepe, noord-zuidelijk verlopende dalen uitgesleten. In tegenstelling tot Jersey is op Guernsey de neiging van het oppervlak van zuid naar noord vriendelijker, met steile kusten in het zuiden en uitgestrekte zandbaaien tussen lage graniettongen in het noorden. De bevolking van Jersey woont grotendeels in het zuidoosten; verder weg van die mensenconcentratie wordt het steeds landelijker en rustiger. Guernsey daarentegen (ruim 800 inwoners per km^2) oogt wat ongeordender, en op het kustpad is het beduidend eenzamer.

Kunstenaars en miljonairs

Het is niet verwonderlijk dat een dergelijk landschap kunstenaars trekt. De Franse impressionist Auguste Renoir (1841-1919) kwam hier in 1883 als vakantieganger en was zo onder de indruk – onder andere van de Moulin Huet Bay op Guernsey – dat hij er achttien schilderijen maakte. John Everett Millais (1829-1896) was afkomstig uit Jersey en groeide uit tot een van de bekendste portretschilders van de victoriaanse tijd; en Walter William Ouless (1848-1933) werd zo verliefd op Sark dat hij er voorgoed bleef en de spectaculaire natuur op vele schilderijen vastlegde. Maar niet alle kunstenaars kwamen even vrijwillig ... de Franse schrijver Victor Hugo (1802-1875) vluchtte voor de repressie in het Franse koninkrijk en koos mede vanwege de taal voor de *Iles anglo-normandes.* Halverwege de 19e eeuw kon hij zich met de bewoners in het dialect verstaanbaar maken.

Vandaag de dag wordt een 'ballingschap' vaak door rijkdom ingegeven, en sinds de Britse belastingdienst heeft geklaagd, wordt bij Britten die op Guernsey komen wonen nu gecontroleerd of hun band met *mainland Britain* niet toch nauwer is dan hen lief is ...

Eilandeconomie: kousen, koeien, krieltjes

Waar de eilandbewoners van leefden? Vanaf de 18e eeuw breiden de eilanders fijne kousen, later gevolgd door windbestendige truien die als *guernseys* bij meer dan alleen zeelieden populair werden. Wij kennen de stof als jersey. Een blauwe, jersey schipperstrui is hier dan ook een klassiek souvenir.

Feiten en cijfers

Ligging en omvang: tussen de baai van St-Malo en het Kanaal voor het schiereiland Cotentin (Alderney 15 km, Jersey 24 km, Guernsey ca. 50 km)
Oppervlak: Jersey 116 km^2, Guernsey 65 km^2, Sark 5,5 km^2, Alderney ca. 8 km^2
Staatsvorm en overheid: twee onafhankelijke Bailiwicks (landvoogden), alleen in buitenlandse politiek en defensie vertegenwoordigd door het Verenigd Koninkrijk (UK). Bailiwick of Jersey met twaalf *parishes* (gemeenten) en het onbewoonde Écréhous, Minquiers en Douvres; Bailiwick of Guernsey (tien *parishes*) met Alderney, Sark, Herm.
Bevolking: Jersey ca. 92.500 inw., Guernsey ca. 62.000 (inclusief Herm en Jethou), ca. 2400 op Alderney en ca. 600 op Sark (in de zomer ca. 1000).
Religie: anglicaans, katholiek, methodist, een aantal onafhankelijke kerken.
Tijdzone: op de Kanaaleilanden geldt net als in Groot-Brittannië CET min 1 uur.

Beroemd zijn ook de kleine *Jersey cows* met hun donkere ogen met lange wimpers en hun uitstekende heupbotten. Ze worden op het eiland gefokt en zijn tegenwoordig vanwege hun melkproductie (bijna 14 liter per dag met een gemiddeld vetgehalte van 5,2%) wereldwijd populair. *Jersey Royals* zijn prijzige nieuwe aardappelen, die in december en januari aangeplant worden op de zuidoostelijke hellingen en in april geoogst worden. Ze worden 'bemest' met gedroogd zeewier *(vraic)*, volgens velen de reden van hun goede smaak. Op Guernsey heeft men zich toegelegd op snijbloemen en kastomaten, die hoofdzakelijk voor de Britse markt zijn bedoeld.

Padden en ezels

Vijf eilanden en vijf heel uiteenlopende karakters. Er bestaat van oudsher rivaliteit tussen de bewoners van Jersey (bijnaam *toads*, padden) en Guernsey (in het patois *ânes*, ezels, genoemd). Jersey is in de ogen van de traditionele Guernsey*men* vooral bevolkt met ijverige *originals* en protserige nieuwrijken, die met hun relaxte levensstijl op onbegrip stuiten; de inwoners van St-Helier daarentegen lachen vaak wat vermoeid om de in hun ogen kleinburgerlijke en 'starre' bewoners van het buureiland.

Milieu

Op de Kanaaleilanden is men zich ervan bewust dat een intacte natuur het grootste kapitaal is. De zuidoostelijke kusten van Jerseys en Guernseys westen bij Lihou zijn tot beschermde zones uitgeroepen. Kleinere beschermde gebieden en onbewoonde eilanden, veelal onder de hoede van plaatselijke organisaties, worden niet door mensen verstoord en zijn belangrijke broedplaatsen voor bijvoorbeeld papegaaiduikers.

De badstranden zijn schoon, mede dankzij de sterke getijden waarvan ook de oesterteelt in Royal Bay of Grouville op Jersey profiteert. Net als op veel eilanden kan het drinkwater in droge zomers ook hier schaars worden, en mogen tuinen dan niet worden gesproeid.

Papegaaiduikers zijn terugkerende zomergasten die op sommige van de eilanden broeden

Geschiedenis, heden, toekomst

De geschiedenis van nederzettingen op de Kanaaleilanden gaat ver terug; vondsten in een grot in het zuidwesten van Jersey bleken 250.000 jaar oud. Jagers tekenden er een mammoet en een wolharige neushoorn. De landkaart zag er in die dagen nog volstrekt anders uit: in plaats van door zee, werden de eilanden omsloten door beboste vlakten.

Een vroege hoogcultuur

De huidige eilanden waren nog tot na de ijstijd met het continent verbonden. Dat veranderde pas beetje bij beetje in de steentijd. De menhirs en de graven die in die tijd werden opgetrokken (dolmen) zijn zo talrijk op deze eilanden, dat men haast zou gaan vermoeden dat het een centrum was van de mysterieuze Atlantische cultuur die destijds tussen Stonehenge in het zuiden van Engeland en Carnac in Bretagne bestond. Op Jersey en Guernsey zijn meer dan twintig megalietgraven bewaard gebleven; oorspronkelijk moeten het er veel meer zijn geweest. Nog in de 19e eeuw werden dit soort 'rommelige' hopen steen als steengroeve en goede plek voor goedkoop bouwmateriaal beschouwd.

Heremieten en zeerovers

De steentijdcultuur maakte plaats voor de Kelten en Romeinen, voor wie de eilanden weinig meer waren dan een tussenstop op weg naar Brittannië. Zeerovers, christelijke missionarissen en heremieten als Helier, Brelade, Sampson of Magloire domineerden hier de vroege middeleeuwen. Een ingrijpende gebeurtenis was de legendarische vloed van 709, waarbij de moerasachtige vlakte in de baai van Mont Saint-Michel niet langer kon worden overgestoken. Zeelieden uit Denemarken en Noorwegen, beter bekend als de Noormannen, maakten de zeeën onveilig. De Franse koning gaf hen in 911 toestemming zich aan de monding van de Seine te vestigen – de kiem van het hertogdom van Normandië, waartoe ook de Kanaaleilanden in de 10e eeuw behoorden.

Twistappel tussen Engeland en Frankrijk

Toen de Normandische hertog Willem zich in 1066 opmaakte om Engeland te gaan veroveren, bevonden zich in zijn gevolg ook mannen uit Jersey en Guernsey. Na de Slag bij Hastings verenigde hij als William the Conqueror de Normandische hertogskroon met de Engelse koningstroon en schonk zijn vazallen goederen uit het nieuw veroverde rijk. Koningin Elizabeth II draagt nog altijd de titel Duke of Normandy, en is daarmee soeverein over de Kanaaleilanden. Haar voorvader John Lackland (Jan Zonder Land) moest echter in 1204 na een rechtsstrijd afstand doen van het Normandische vasteland, ten gunste van Frankrijk.

Het verlies van Normandië was het begin van een eeuwenlange strijd tussen Engeland en Frankrijk om de heerschappij, en de 'anglonormandische eilanden' lagen midden in de vuurlinie. Ze werden een paradijs voor vestingbouwers, en pogingen de eilanden te veroveren, waren talrijk. Tijdens de Honderdjarige Oorlog van 1339-1459 slaagden de Fransen erin Gorey Castle op Jersey in handen te krijgen; in 1781 bereikten ze zelfs het marktplein van St-Helier. In de Battle of Jersey lieten de heldhaftige verdediger majoor Peirson en de doldrieste aanvaller Rullecourt beiden het leven. De militaire betekenis van de eilanden speelde ook in de Engelse Burgeroorlog en tijdens de heerschappij van Cromwell een rol: van 1649-1660 was Guernsey in handen van de vijanden van de koning. De uit Engeland gevluchte troonopvolger Charles Stuart kreeg in Jersey asiel voordat hij zich in Frankrijk vestigde.

Duitse bezetting

Wat de Fransen nooit helemaal lukte, bereikten de Duitsers wel. Als enig deel van het Britse kroonland werden de Kanaaleilanden in de zomer van 1940 bezet door Duitse troepen en tot 'eilandvesting' uitgebouwd. Lokale arbeiders en dwangarbeiders zwoegden om gangen in het graniet te blazen en bunkers te bouwen. Het eiland Alderney veranderde in een werk- en concentratiekamp waar duizenden slachtoffers werden ondergebracht, met name uit Oost-Europa. De bezetter liet geen rotspunt onbeschermd en geen strand mijnenvrij. Bij de invasie van Normandië in 1944 hielden de geallieerden zich niet bezig met de in hun ogen strategisch onbeduidende eilanden, en bezetter en bezette eilanders werden van de aanvoer van goederen afgesneden. Hongerend gingen ze het einde van de oorlog tegemoet. De Duitse commandant capituleerde pas op 9 mei 1945.

Toeristen en bankiers

Ten tijde van koningin Victoria kwamen de eerste toeristen per stoomboot uit Engeland. De eilanden werden echter pas later als vakantieparadijs voor de Engelse toerist ontdekt. 'Poor man's Spain', Spanje voor arme mensen, werd het genoemd. Vandaag de dag vormen de Britten met 85% de meerderheid van de toeristen. Het toerisme en het bankwezen zijn de belangrijkste inkomstenbron.

De Kanaaleilanden zijn weliswaar sinds 1973 lid van de EU, maar er gelden veel uitzonderingen. Zo is de immigratie beperkt tot miljonairs. Sinds Jersey en Guernsey in de jaren '60 de bankwetten liberaliseerden en de inkomstenbelasting fixeerden op 20%, *boomt* het *offshore-banking*. Dankzij het conservatieve politieke klimaat heeft zelfs de economische crisis daar geen verandering in gebracht.

Goed beveiligd, maar geen oorlogsgebied: St-Ouen's Bay, Jersey

Overnachten

Op Jersey, Guernsey, Sark, Alderney en Herm zijn allerlei accommodatievormen te vinden, van luxehotels tot knusse cottages, van appartementen met zwembad en sauna tot gezellige B&B's. Goedkope accommodatie is echter zeldzaam; er is slechts één hostel (Durrell Wildlife, Jersey) en de eilanden hebben relatief weinig kampeerplekken.

Boeken

Buiten het hoogseizoen is een onderkomen meestal vrij makkelijk te vinden – telefonisch of per internet – en bijvoorbeeld ook via de websites van de Tourist Information van Jersey en Guernsey. Soms wordt bij het boeken als waarborg om uw creditkaartnummer gevraagd, of is een aanbetaling nodig *(deposit)*. Veel hoteliers regelen op verzoek een huurauto. Buiten het hoogseizoen bieden ook de duurdere hotels vaak vroegboekkorting, of hebben andere interessante aanbiedingen.

Prijzen

Er zijn grote prijsverschillen tussen hoofd-, voor- en naseizoen, en de indeling van de seizoenen verschilt per accommodatie. In principe worden in juli en augustus – de Britse zomervakantie – de hoogste prijzen berekend. In mei/juni en september liggen de prijzen weliswaar iets lager, maar ze zakken pas in oktober significant om rond Pasen weer te stijgen.

In chique boutiekhotels ligt de kamerprijs zelden onder £ 70. De prijzen worden veelal aangegeven per persoon per nacht *(pppn = per person per night)* op basis van twee personen per kamer. Een *Double* is voorzien van een tweepersoonsbed, een *Twin* van twee eenpersoonsbedden en een *Family Room* telt meer dan twee bedden.

Uitrusting

Alle onderkomens moeten ingeschreven staan bij de Dienst voor Toerisme; classificatie *(grading)* tot vijf sterren is vrijwillig en richt zich naar de criteria van de AA (Automobile Association) of de Britse organisatie VisitBritain. De meeste kamers hebben *ensuite facilities,* wat betekent dat ze een eigen douche en toilet hebben. *Private facilities* kan betekenen dat de badkamer weliswaar buiten de slaapkamer ligt, maar niet met andere gasten hoeft te worden gedeeld.

De gast heeft op zijn kamer de beschikking over een waterkoker om thee en (instant)koffie te bereiden.

Stopcontacten zijn net als in Engeland voorzien van een schakelaar die op *on* moet worden gezet om stroom te krijgen. Een adapter is voor dit type stopcontacten ontbeerlijk.

Hotels en guesthouses

De prijs voor een overnachting – reken in het hoogseizoen voor een tweepersoonskamer per persoon op £ 40 of meer – is inclusief uitgebreid Engels ontbijt (Bed & Breakfast). Op verzoek kan meestal ook een lichter *continental breakfast* worden geserveerd. Halfpension *(half board)* is aan te bevelen op kleine eilanden als Sark en Herm, waar het restaurantaanbod klein is.

Huisjes en appartementen

Appartementen en cottages worden in de regel minimaal per week verhuurd, al is in voor- en naseizoen ook een zogeheten *midweek* mogelijk. Beddengoed en hand- en theedoeken worden vaak

Het groene terras van het Somerville Hotel kijkt uit over Jerseys St-Aubin's Bay

in *selfcatering accommodation* verstrekt. In veel vakantiehuisjes is een stroommeter voorhanden die u met munten 'voedt'. Met name op Alderney en Sark kunt u prachtige cottages boeken. Herm is een gunstig alternatief voor gezinnen die op zoek zijn naar een strandvakantie en veel natuur.

Internet: www.freedomholidays.com biedt selfcatering-accomodaties aan, met name op Jersey en in wat mindere mate op Guernsey; vakantiehuisjes op Alderney zijn op internet te vinden op www.alderneyaccommodation.com.

Camping

Op elk eiland ligt minimaal één camping. Caravans en campers zijn alleen toegestaan op Jersey, op voorwaarde dat ze direct naar een vooraf geboekte standplaats op de camping rijden. Wie geen zin heeft om zijn eigen kampeerspulletjes mee te nemen, kan volledig ingerichte tenten huren met alles erop en eraan, wat wel *glamping* wordt genoemd – kamperen in luxevorm.

De monumentenorganisatie Jersey Heritage verhuurt **vakantieaccommodatie in historische gebouwen**. Sommige zijn bijzonder luxe, zoals de Radio Tower (zie blz. 48) bij Corbière, Fort Leicester (zie blz. 69) aan de noordkust of het zespersoonsappartement in Elizabeth Castle. Andere monumenten, veelal vestingruïnes, zijn alleen te gebruiken met meenemen van eigen slaapzak en houtvuurtje. Kijk voor informatie op www.jerseyheritage.org, onder het kopje 'Heritage Holiday Lets'.

Eten en drinken

Eilandspecialiteiten

Lokale producten

Een van de grootste geneugten die de restaurants hier te bieden hebben, zijn vis en zeevruchten uit eigen wateren, zoals **kreeften**, **langoesten**, **oesters en jacobsschelpen.** Daarnaast komen talloze andere lokale producten op tafel. Een daarvan is een smakelijke nieuwe aardappel, de **Jersey Royal**. De royals worden al eind april geoogst en vaak in de schil geserveerd.

Een andere specialiteit is de melk van de koeien die op Jersey en Guernsey worden gefokt. Het natuurlijke melkvetgehalte van *Jersey cows* is meer dan 5%. De boter van de eilanden is van nature geel, net als de *clotted cream* die geserveerd wordt bij de *cream tea*.

Bij het diner worden goede wijnen geschonken, in de regel Franse. Maar ook op Jersey zelf wordt een heel aardige witte druif verbouwd. Veel pubs schenken bier van plaatselijke brouwerijen, zoals Real Ale, gebrouwen volgens oud recept, gegist in oude vaten en zonder 'gas', maar met de hand getapt.

Streekgerechten

De stevige Normandische keuken heeft zijn sporen achtergelaten. Wat dacht u van *bean jar*, een bonenschotel met varkensvlees, of *Black Butter* – appelmoes die dagenlang wordt ingekookt.

Verzorgd uit eten, inclusief panoramisch uitzicht: The Auberge op Guernsey

Maaltijden

Na het stevige **Full English breakfast**, het roemruchte Engelse ontbijt met bacon, worstjes, eieren, champignons en soms zelfs aardappels en tomaten, valt de **lunch** in de regel lichter uit (en goedkoper dan het avondeten). Probeer bij de **cream tea** niet alleen de klassieke scones met aardbeienjam, maar zeker ook de lokale *Jersey wonders* (een soort gefrituurde beignets) en *Guernsey gâche,* een soort tulband. Bij de **afternoon tea** komen ook nog sandwiches op tafel – een behoorlijk vullend geheel, dat menigeen de trek in **dinner** (avondeten) een beetje ontneemt.

Pas op, verborgen kosten: op de menukaart van veel restaurants ontbreekt de zin 'service charge included'. In dat geval wordt bij het totaalbedrag nog eens 10% voor bediening opgeteld. Bij twijfel even navragen. Op Jersey komt daar vaak nog 5% GST (Goods and Services Tax) bij, tenzij anders vermeld. **Geld besparen** kan door kleinere porties te bestellen, of door in een pub te gaan eten. Ook in de duurdere restaurants is het lunchmenu aanzienlijk goedkoper dan het avondmenu.

Restaurants

Bij deze rijkdom aan verse producten uit zee is uit eten gaan op de Kanaaleilanden een feest. Bovendien heeft de jonge, goed verdienende aanwas uit de kantoren in St-Helier en St-Peter Port ervoor gezorgd dat de nieuwste trends uit de fusionkeuken, die culinaire inspiratie uit de hele wereld haalt, zijn weg ook hier heeft weten te vinden naar de plaatselijke restaurants. Michelinsterren zijn tot nu toe alleen op Jersey uitgedeeld.

In de regel is de keuken (ook in pubs) open van 12-14.00 uur en vanaf 18 uur of van 18.30-21 uur. Veel gelegenheden zijn op zondagavond gesloten. Bij populaire restaurants is het verstandig tijdig te reserveren. Het is hier gebruikelijk bij binnenkomst te wachten tot u een tafel wordt aangewezen. Tot het zover is, bestelt u aan de bar een biertje en kunt u vast een blik werpen op de menukaart.

Pubs

In een pub *(public house)* haalt en betaalt de klant zijn drankjes aan de bar. Bier wordt geschonken als *pint* (0,57 l) of *half a pint*. In veel pubs worden uitstekende, eenvoudige maaltijden geserveerd *(pub food),* vaak in een gezellige ruimte naast de bar die zeker niet onderdoet voor een restaurant. Nadat u besteld en betaald hebt, wordt het eten in de regel aan tafel geserveerd. Een zogeheten *gastropub* serveert eten dat vaak net iets modieuzer en minder traditioneel is.

Alcohol mag op alle eilanden niet worden geschonken aan personen onder de 18 jaar. De regels kunnen per pub verschillen, maar in de regel geldt: *public houses* mogen alcohol schenken van ma.-za. 10-0.45 uur (op zo. vanaf 12 uur). Binnen die marge lopen de openingstijden uiteen.

Nachtleven

In de disco's en clubs van de respectievelijke hoofdsteden van de eilanden, St-Helier en St-Peter Port, is het tot in de vroege uurtjes een drukte van belang. Vooral in het weekend gaat het er behoorlijk uitbundig aan toe. 'Out of town' is het vanzelfsprekend wat moeilijker om 's avonds vertier te vinden. Op vrijdag- en zaterdagavond zijn de pubs meestal goed gevuld, en vele bieden extra activiteiten als livemuziek, een spannende pubquiz, een terras met uitzicht op zee of allerlei lekkere cocktails om de zonsondergang nog net iets mooier te maken...

Praktische informatie

Reizen naar de Kanaaleilanden

Met het vliegtuig

Van mei tot september wordt er direct naar **Jersey (JER)** gevlogen vanaf Rotterdam en Brussel; van oktober tot en met april moet u rekenen op één (soms twee) tussenstop in Manchester, Londen of Southampton vanaf Amsterdam, Eindhoven en Brussel. Naar **Guernsey (GCI)** wordt meestal met tussenstop gevlogen, al bestaat de mogelijkheid met Air Berlin vanaf Düsseldorf direct naar Guernsey en Jersey te vliegen. De vlucht naar Jersey duurt vanaf Rotterdam circa 1 uur en 45 min., naar Guernsey ruim 2 uur.

Als u eerst naar Groot-Brittannië vliegt, kunt u daar ook met een van de goedkopere maatschappijen doorvliegen naar de Kanaaleilanden, bijvoorbeeld vanaf Londen, Manchester of Birmingham. Air Aurigny vliegt van Frankrijk (Dinard) naar de Kanaaleilanden.

Vanaf de luchthavens rijden lijnbussen naar de steden en andere bestemmingen op de eilanden.

Luchthaven Guernsey: www.guernsey airport.gov.gg

Luchthaven Jersey: www.jerseyairport.com

Met de boot

Vrijwel het hele jaar varen er vanaf het Franse St-Malo **ferries** naar Jersey en Guernsey (Condor Ferries; vaartijd 1 uur en 15 min., www.condorferries.co.uk, of www.directferries.nl). De frequentie ligt rond zestien afvaarten per week. U kunt ook de boot nemen in Poole, Portsmouth of bijvoorbeeld Weymouth in Zuid-Engeland. Ook de fietsen mogen op deze veerboten mee.

Passagiersboten verbinden de eilanden van april tot september met havens in Normandië; de boten van de maatschappij Manche Iles varen op de zuidelijke route van Granville en de noordelijke route vanaf Carteret naar Gorey en St-Helier/Jersey (70 resp. 75 min.) en vanaf Diélette naar St-Peter Port/Guernsey (75 min., www.mancheiles.com). Kijk voor verbindingen tussen de verschillende eilanden op blz. 27.

Douane

Voor burgers uit de EU en Zwitserland is een paspoort of identiteitskaart voldoende om de Kanaaleilanden te bezoeken. Aangezien de eilanden geen lid zijn van de EU, is de invoer van bepaalde producten naar EU-landen beperkt: per persoon (ouder dan 17 jaar) 1 l sterkedrank (meer dan 22%), 4 l wijn, 250 g tabak, 100 cigarillos of 200 sigaretten, en andere goederen tot een waarde van € 430.

Feestdagen

1 januari: (New Year's Day) Nieuwjaar
Goede Vrijdag (Good Friday) en **Tweede Paasdag** (Easter Monday)
9 mei: (Liberation Day – Bevrijdingsdag van de Duitse bezetting in 1945)
Spring Bank Holiday: laatste maandag in mei
Summer Bank Holiday: laatste (Alderney: eerste!) maandag van augustus
25 december: (Christmas Day) en **26 december:** (Boxing Day)

Feesten en festivals

Jersey

Liberation Day: 9 mei. In de dagen rond het bevrijdingsfeest zijn er onder andere

concerten (International Music Festival).
Jersey Gourmet Festival: midden-eind mei, met evenementen en speciale menu's in de deelnemende restaurants.
Fête de St-Helier: half juli, een aantal dagen rond de feestdag van de Heilige Helier op 17 juli, met onder andere een pelgrimstocht naar Hermitage Rock.
Battle of Flowers: half augustus, bloemencorso in St-Helier op vrijdag, op zaterdag nachtelijke Moonlight Parade (www.battleofflowers.com).
Grassroots Festival: voorlaatste weekend van juli; Indie-muziekfestival in de duinen (www.grassroots-jersey.com).

Guernsey

Guernsey Literary Festival: half mei, met lezingen en workshops.
Liberation Day: 9 mei; vuurwerk in St-Peter Port op de dag dat het eiland in 1945 werd bevrijd van de Duitse bezetter.
Viaer Marchi: eerste maandag van juli, 's avonds in Saumarez Park (zie blz. 98). Traditionele markt met dans.
Rocquaine Regatta: eerste zaterdag in augustus. Evenementen langs de kust en op het strand; vrije toegang in Fort Grey.
Torteval Scarecrow: laatste weekend van juli; pleziertocht in het zuidwesten vanaf Torteval Church, een soort speurtocht waarbij vogelverschrikkers *(scarecrows)* moeten worden verzameld (www.tortelval-scarecrows.org).
North Show and Battle of Flowers: voorlaatste weekend van augustus; landbouw- en tuinententoonstelling met competitie om de mooiste bloemenwagen, in Saumarez Park (www.guernseynorthshow.org.gg).
Tenner Fest: okt.-half nov.; allerlei restaurants lokken gasten met voordelige aanbiedingen rond £10 – vandaar *tenner*.

Alderney

Seafood Festival: eerste helft mei; excellent aanbod van zeevruchten in de deelnemende restaurants.
Alderney Wildlife Week: eind mei / begin juni; natuurexcursies met gids en vogelspotten.
Alderney Week: eerste week van aug.; grappige wedstrijden en carnavalsoptocht (www.alderneyweek.net).

Sark

Sark Folk Festival: begin juli; traditionele volksmuziek en -dans (www.sarkfolkfestival.com).
Sheep Racing: derde weekend van juli; grappen en grollen met schapen.

Geld

Jersey en Guernsey hebben eigen ponden met dezelfde waarde als het Britse pond. Let op: deze lokale ponden zijn in Nederland niet in te wisselen!
Wisselkoers: £ 1 = € 1,14.
Met de gewone pinpans kan bij de pinautomaten op Jersey, Guernsey en Alderney geld op worden genomen. Voor het huren van een auto of het boeken van een hotelkamer of -appartement is een creditkaart handig.

Gezondheid

De Europese zorgpas geldt niet op de Kanaaleilanden, en medicijnen en artsbezoek moeten dan ook direct ter plaatse worden voldaan. Het is verstandig

Let op: op Jersey en Guernsey zijn nog biljetten van 1 pond in omloop, hoewel Engeland deze al een hele tijd geleden heeft afgeschaft. Bedenk goed dat u eenmaal terug in Nederland de biljetten uit Jersey en Guernsey niet kunt omwisselen. Let er daarom voor de terugreis op dat u enkel nog Britse ponden aanneemt en de lokale ponden links laat liggen, of dat u de lokale ponden ter plekke even inwisselt.

Er wordt vaak gedacht dat de Kanaaleilanden een soort belastingvrij paradijs zijn. Maar op Jersey wordt sinds 2008 **btw** oftewel GST (Goods and Service Tax) geheven van 5% – ook op kranten en boeken die op het Britse vasteland vrijgesteld zijn van btw.

een reisverzekering af te sluiten, die dergelijke kosten vergoedt (facturen goed bewaren en bij terugkomst bij uw zorgverzekeraar indienen).

Uitgebreide medische verzorging cq ziekenhuizen vindt u enkel op Jersey en Guernsey. Medicijnen zijn hier niet duur en zijn zowel bij de apotheek te verkrijgen *(pharmacy, chemist)* als bij de drogisterijketen Boots' en de drogisterij-afdeling van sommige supermarkten. Breng wel het recept van uw arts mee. Bent u van plan langer op de eilanden te verblijven, neem dan vanuit Nederland een voorraadje mee.

Dialysepatiënten kunnen op Jersey terecht in de General Hospital Renal Unit, Gloucester St., St-Helier, tel. 01534 62 21 26.

Informatie

Bij de VVV's kunt u gratis goede kaarten van de eilanden krijgen. Meest precies is 'Perry's Guide to Guernsey'.

Jersey

Op internet is ruimschoots informatie over Jersey te vinden, bijvoorbeeld op www.kanaaleilanden.net en www.jersey.com; zie ook blz. 38.

Guernsey

www.visitguernsey.com is de officiële website van het eiland met toeristische informatie en de mogelijkheid een hotelkamer online te boeken ('Where to Stay'); www.heritageguernsey.gg over geschiedenis, taal en cultuur van Guernsey en de buureilanden (in het Engels).

Alderney en Sark

www.visitalderney.com (zie ook blz. 106)
www.sark.info (zie ook blz. 111).

Kinderen

De Kanaaleilanden zijn een populaire vakantiebestemming voor Britse gezinnen met kleine kinderen, vanwege de ruime keuze aan vlakke en schone zandstranden. Veel hotels en pensions zijn dan ook ingesteld op kleine kinderen. Sommige hotels zijn overigens voor kinderen onder de 12 niet toegankelijk; informeer ernaar als u reserveert.

Tot 18 jaar mogen jongeren enkel onder begeleiding van een volwassene een pub bezoeken. Pubs waar ook gegeten kan worden, zijn vaak wel op kinderen ingesteld en hebben speciale ruimtes voor kinderen en kindermenu's; in dergelijke pubs is het heel normaal om met het hele gezin te komen.

Los van alle stranden zijn er ook bezienswaardigheden die kinderen leuk vinden. Zo vindt u op Jersey dierentuin Durrell Wildlife en Samarès Manor, en kunnen nieuwsgierige kinderen terecht in het Maritime Museum in St-Helier en de martellotoren Kempt Tower met tentoonstellingen over de natuur. Op Guernsey zijn met name Fort Grey en het Aquarium interessant voor kinderen. Gezinnen met kleine gezinnen komen graag op Herm vanwege de prettige, vlakke zandstranden.

Klimaat en reisseizoen

De Kanaaleilanden kennen een mild zeeklimaat met weinig temperatuurverschillen tussen de zomer en de winter. In de winter vriest het zelden en blijven de temperaturen relatief mild. In de zomermaanden is het zelden echt heet, maar het aantal zonneuren ligt toch beduidend hoger dan het Britse gemiddelde. Vergeet dus vooral niet een hoofddeksel, zonnebrandcrème en een zonnebril mee te nemen en bedenk dat ook hier, net als elders aan de kust, de zon behoorlijk kan branden.

Kenmerkend voor een zeeklimaat op deze breedte: het weer kan zomaar omslaan. Lange perioden met slecht weer en veel regen zijn net zozeer een zeldzaamheid als een dagenlang aanhoudende strakblauwe hemel. Houd dus in elk seizoen wind- en regendichte kleding bij de hand, evenals een warme trui en stevige wandelschoenen als u het Coastal Path wilt gaan lopen.

Het voorjaar en de vroege zomermaanden, wanneer de tuinen en kliffen in volle bloei staan, zijn een ideale tijd om de eilanden te bezoeken. Wie in zee wil zwemmen, zal echter nog tot het hoofdseizoen moeten wachten. De watertemperatuur van de Atlantische Oceaan is vanaf eind juni aangenaam en in augustus en september op zijn warmst. Halverwege september begint dan het naseizoen.

Klimaatdiagram van St-Helier, Jersey

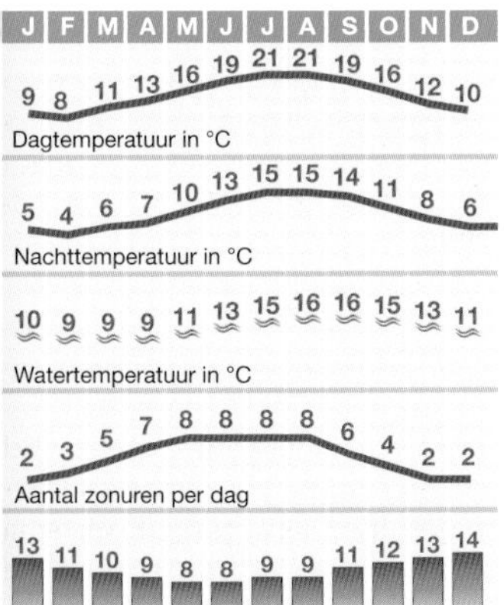

Dankzij het milde klimaat zijn de eilanden ook in de winter, tussen oktober en Pasen, een aangename reisbestemming. Houd er wel rekening mee dat het weer onvoorspelbaar kan zijn. Bij storm varen de veerboten niet en bij dichte mist – niet ongebruikelijk in de winter – blijven vliegtuigen aan de grond.

Maten en gewichten

De in Europa gebruikte metrische maten en gewichten zijn inmiddels ook op de Kanaaleilanden gangbaar geworden. Alleen mijlen (1 mile = 1,61 km) en – vooral bij een bezoekje aan een pub (zie blz. 19) belangrijk – *pints* (1 pint = 0,57 l) worden nog gebruikt.

Openingstijden

Banken in grotere plaatsen (St-Peter Port, St-Helier) zijn geopend van ma.-vr. 9.15/9.30-16.45 uur, soms op vr. tot 18 uur; incidenteel ook op zaterdagochtend. De banken in St-Anne (Alderney) ma.-vr. 9.30-12.30 en 14.30-15.30 uur.

Postkantoren: ma.-vr. 9-17, za. 9-12 of 14 uur. Alderney ma.-vr. 9-12.30 en 13.30-17 uur. Postzegels zijn ook bij veel supermarkten te verkrijgen.

Winkeltijden lopen uiteen. In grotere plaatsen zijn de meeste winkels in de regel geopend van ma.-za. 9-17.30 uur. Op donderdag en zaterdag zijn veel winkels alleen 's ochtends geopend. Veel levensmiddelenwinkels en grotere supermarkten aan de stadsrand zijn vaak ook op zondag open.

Reizen met een handicap

De meeste hotels, restaurants en bezienswaardigheden zijn goed op mindervalide reizigers ingesteld. Rolstoelen en rollators kunnen op Jersey worden gehuurd bij Shopmobility, Sand Street Car Park, www.shopmobility.je

Roken

In openbare ruimten, inclusief hotels, restaurants, cafés en bars, geldt een rookverbod. Veel *guesthouses* stellen hun gasten in de gelegenheid te roken op bijvoorbeeld de parkeerplaats of in de tuin, en richten daarvoor een apart hoekje in.

Sport en activiteiten

Coasteering en kajakken

Coasteering is een enerverende sport waarbij klimmen, watersport, zeekajakken en snorkelen worden gecombineerd. Coasteering wordt op Jersey o. a. aangeboden door Extreme Jersey (www.extremejersey.co.uk), Absolute Jersey (www.absolutejersey.co.uk, zie blz. 47) en Jersey Adventures (www.jerseyadventures.com). Op Guernsey is o. a. Island Adventures actief (www.islandadventures.gg).

Duiken

De kliffen voor de noordelijke kust van Jersey en de zuidelijke kust van Guernsey zijn ideaal voor wie wil duiken of snorkelen; in het glasheldere water houdt zich een rijk onderwaterleven op met onder meer zeeanemonen, zeesterren en zeepalingen. Op Jersey bieden watersportcentra in Bouley Bay (zie blz. 71) en St-Helier (H2O, www.divejersey.co.uk) duikcursussen aan; u kunt er ook een uitrusting huren. Guernsey herbergt een duikcentrum in Havelet Bay in St-Peter Port (zie blz. 82).

Fietsen

De Kanaaleilanden zijn bijzonder fietsvriendelijk: de maximumsnelheid op de wegen ligt laag, automobilisten zijn voorkomend (ook tegenover voetgangers) en Green Lanes, respectievelijk Ruettes Tranquilles, zorgen ervoor dat fietsers overal ruim baan krijgen.

Het hele eiland **Jersey** wordt ontsloten door een goed gemarkeerd netwerk van fietspaden, dat te vinden is op een wegenkaart of een *cycling map*; verkeerd rijden is bijna onmogelijk, want elke weg heeft hier een naam. Naar het noorden toe kan het een behoorlijke klim worden en af en toe een echte uitdaging; wie in het zuiden langs St-Aubin's Bay of op de autovrije Corbière Walk fietst, heeft daar minder last van en rijdt makkelijk op relatief vlak terrein.

Met uitzondering van het uiterste zuiden en St-Peter Port hoeft er op **Guernsey** nauwelijks geklommen te worden. Mijd hier wel de drukke hoofdwegen, waar zich achter elke fietser onmiddellijk een file vormt – de straten zijn hier een stuk smaller dan op Jersey. Ook op Guernsey zijn verkeersluwe paden ingericht, Ruettes Tranquilles, die soms wat lastig te vinden zijn. Er is een speciale kaart voor gemaakt ('Not for Motorists'-Map), die te verkrijgen is bij het Tourist Information Centre. Daar vindt u ook een folder met allerlei suggesties voor leuke tochtjes. **Alderney** is dankzij het beperkte autoverkeer een ideale plek om te fietsen. Op **Sark** bent u op de fiets aangewezen als u niet te voet wilt, of op paard en wagen. De ongeplaveide zandpaden leiden u zonder noemenswaardige hellingen over het eilandplateau.

Golf

Jersey telt zes golfbanen: twee met 18-holes (Royal Jersey Golf Club en La Moye); in de duinen voor St-Ouen's Bay ligt Les Mielles Golf Course, Wheatlands Golf Course (9 hole par 3) en de 9-holebaan Platz Les Ormes in het hart van St-Brelade. U kunt voordelig en makkelijk terecht op het sportterrein Jersey Recreation Ground (Grève d'Azette, St-Clement; 9 hole par 3 en 4).

Veiligheid en noodgevallen

Net als elders in de wereld moet u goed op uw waardevolle spullen passen, en deze bijvoorbeeld niet onbewaakt in de auto achterlaten. In zijn algemeenheid kunnen we echter stellen dat de crimininaliteit op de Kanaaleilanden gering is, en hoe kleiner het eiland, hoe kleiner de problemen. Let bij een wandeling langs het strand en bij het zwemmen in zee goed op de getijden (bij de toeristenbureaus kunt u een getijdenoverzicht krijgen, of kijk online: www.portofjersey.je of www.guernseyharbours.gov.gg). Afhankelijk van het getijde kunnen de sterke stromingen voor watersporters gevaarlijk uitpakken. En bij veel kliffen is er kans op steenslag – let goed op de bordjes!
Alarmnummer Brandweer, politie of ambulance: tel. 999.

Guernsey herbergt twee 18-holebanen in de duinen van Ancresse (Royal Guernsey Golf Club en L'Ancresse Golf Club) en een baan bij Hotel La Grande Mare aan Vazon Bay. Bij het St Pierre Park Hotel in de buurt van St-Peter Port ligt een 9-holebaan (tel. 01481 72 82 82, www.stpierrepark.co.uk). De *green fees* zijn het laagst op de 9-hole golfbaan van Alderney, die heerlijk rustig is (zie blz. 105). Meer informatie vindt u in het infogedeelte van de verschillende eilanden.

Golf- en windsurfen

Op Jersey zijn vooral St-Ouen's Bay en St-Brelade's Bay een hotspot voor golfen windsurfers; er zijn ook surfscholen en verhuurbedrijven. Ook Plemont en Grève de Lecq kunnen, afhankelijk van het weer, aangename plekken zijn om te surfen. Op Guernsey rollen de mooiste golven in het westen op het strand af, in de Vazon Bay en de Cobo Bay.

Houd u bij het surfen aan de regels: blijf binnen de gebieden die op de oevermuur zijn aangegeven, en zorg ervoor dat u zwemmers en andere watersporters niet hindert.

Paardrijden

Op Jersey bieden drie maneges gedegen rijles: Bon Air Stables, La Grande Route de St Laurent, St-Lawrence, tel. 01534 86 51 96; Le Claire Riding and Livery School, Sunnydale, Rue Militaire, St-John, tel. 01534 86 28 23; en Tamarind Stables, Le Mont de Vignes, St-Peter, tel. 01534 49 02 04.

Guernsey telt twee maneges waar u eventueel kunt lessen en onder begeleiding een buitenrit kunt maken: La Carriere Stables, tel. 01481 24 99 98, en Melrose Farm, tel. 01481 25 21 51 of mobiel 077 81 15 21 51.

Vissen

Strandvissen is op alle eilanden populair, maar er wordt ook gevist vanaf de dammen in de havens en vanaf de steile kliffen, waar u de kans loopt een mooie platvis aan de haak te slaan. In veel havens, zoals St-Catherine's Breakwater op Jersey, kunt u alle benodigdheden hiervoor huren. Zeevissers kunnen in de wateren rond de eilanden hun hart ophalen met het vangen van zeebaars *(sea bass)*, zonnevis *(john dorey)* of koolvis. Wilt u weten waar u een boot en uitrusting voor dit avontuur kunt huren, informeer dan bij het lokale toeristenbureau of in de haven.

Wandelen

De Kanaaleilanden lijken wel gemaakt om te wandelen. Kustpaden ontsluiten de prachtigste landschappen die Jersey en Guernsey te bieden hebben. De verkeersluwe straten op Jersey, de Green

Lanes, en die op Guernsey – Ruettes Tranquilles – maken wandelen ook in het binnenland tot een genot. Bijzonder afwisselend zijn op Guernsey de zogeheten Water Lanes: deze groene routes lopen langs het afwateringssysteem van het eiland in de vorm van smalle paden en idyllische stenen weggetjes.

Ook op de kleinere eilanden kunt u heerlijk wandelen. Kaarten en wandeltips vindt u in de plaatselijke boekhandels en bij de Tourist Information Centres.

Niet elk wandelpad op de eilanden is even makkelijk te begaan; vooral de paden langs de kliffen kunnen pittig zijn. Lastige routes worden weliswaar vergemakkelijkt door treden en trappetjes, maar vaak moet toch een behoorlijk hoogteverschil worden overbrugd. Hier is dus stevig schoeisel met goed profiel nodig. Kom in geen geval te dicht bij de klifrand, want die is vaak gevaarlijk brokkelig. Een afdaling naar de mooiste baaien gaat veelal gepaard met zo'n 100 m traptreden.

Bekijk daarom van tevoren goed of het getijde al die moeite wel waard maakt. De vele bochten en baaien zijn namelijk niet interessant als ze bij vloed volledig onder water staan. Een getijdentabel informeert u over de getijden en behoedt u voor onaangename verrassingen (zie kader op blz. 25).

Het in 2011 geopende langeafstandswandelpad (GR-pad) **Channel Islands Way** combineert wandelingen op de eilanden Jersey, Guernsey en Sark; een routegids met gedetailleerde beschrijvingen kunt op een van de eilanden kopen.

Zeilen

De Kanaaleilanden zijn erg populair bij zeilers. Wie er per zeilboot naartoe wil reizen, moet wel bedenken dat de douaneformaliteiten op Jersey alleen in Gorey en St-Helier afgehandeld kunnen worden. Er zijn jachtclubs in St-Aubin en St-Helier. Op Guernsey: Victoria Marina en Albert Marina, St-Peter Port. Ook Alderney is een gewild startpunt voor zeilers; ligplaatsen vindt u in Braye Harbour.

Zwemmen en baden

Van eind juni tot half september ligt de temperatuur van het zeewater rond maximaal 17 en 19 °C. Vanwege de grote getijdenverschillen zijn veel baaien niet steeds geschikt om in te zwemmen; het is dus verstandig om het getijdenoverzicht in de gaten te houden (zie blz. 25). Bewaakte stranden herkent u aan een rood-gele vlag.

Is het zwembad van uw hotel toch niet helemaal naar wens, dan kunt u terecht in de overdekte baden op Jersey in St-Helier aan de kust (Aquasplash) en in Fort Regent, en in Les Quennevais Sports Centre in St-Brelade. Op Guernsey beschikt het Beau Sejour Centre in St-Peter Port over een groot overdekt zwembad.

Telefoon en internet

Overal op Jersey, Guernsey, Alderney en Sark staan nog de oude vertrouwde telefooncellen; op Jersey en Alderney zijn de oudere exemplaren geel, op Guernsey blauw. Ze worden gevoed met munten, al vindt u op Guernsey ook cellen voor telefoonkaarten *(phonecards)*.

Mobieltjes: niet alle providers van prepaid-kaarten ondersteunen telefonie op de Kanaaleilanden. Het is dan ook het handigst voor vertrek even bij uw provider te informeren.

Internationale gesprekken

Als u vanuit Nederland of België naar een van de Kanaaleilanden belt, kiest u het Engelse landnummer: 0044, waarna de eerste 0 van het telefoonnummer vervalt.

Jersey: tel. 01534.

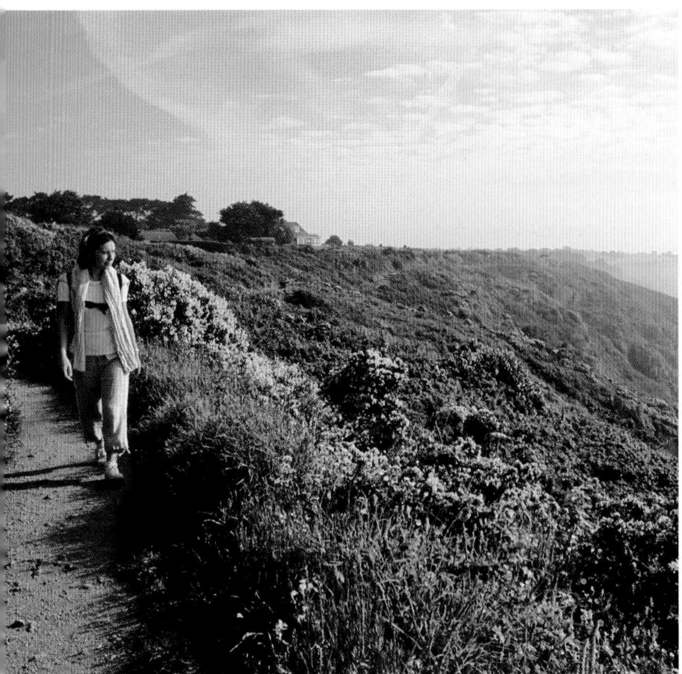

Wandelen op het klifpad bij Icart Point, Guernsey

Guernsey, Alderney, Sark: tel. 01481.
Landnummers vanuit de Kanaaleilanden: Nederland tel. 0031, België tel. 0032, Frankrijk tel. 0033. Belt u vanaf de Kanaaleilanden naar Groot-Brittannië, dan vervalt het landnummer.

WiFi (internettoegang met eigen laptop of smartphone) is in veel hotels, ferryterminals, cafés e.d. gratis.

Vervoermiddelen

De beide grote eilanden **Jersey** en **Guernsey** beschikken over een uitstekend busnetwerk; de meeste bussen rijden overdag en tot laat op de avond. Op het autovrije eiland **Sark** verplaatst men zich per fiets, te voet of ontspannen met paard en wagen. Op **Alderney** kunt u een auto huren, maar een scooter is zeker zo handig. Het kleine eiland is prima met de fiets te ontdekken, en wie enige conditie heeft, redt het ook te voet.

Bus

Jersey: op dit eiland zijn niet alleen de grotere plaatsen goed ontsloten door het busnetwerk. Als aanvulling op de reguliere lijndiensten in het zomerrooster (juni-sept.) zijn ook nog drie ringlijnen ingesteld, elk met een andere kleur gemarkeerd, die langs de meeste bezienswaardigheden rijden. Een dagkaart kost £ 6,95, een enkele reis £ 1,70. Meer informatie over het busnet op Jersey vindt u onder: www.mybus.je (Connex).
Guernsey: het knooppunt van alle buslijnen is het busstation in St-Peter Port (terminal); de dienstregeling kan als PDF

worden gedownload: www.icw.gg/buses. Elke rit op Guernsey kost £ 1, ongeacht de bestemming.

Excursies

Bij de veerbootmaatschappijen kunt u een dagtocht boeken van Jersey en Guernsey naar een van de buureilanden; op verzoek inclusief fietshuur, een koetstocht, een buskaart en een versnapering.

Een tocht langs de eilanden of de kust biedt toegang tot anders onbereikbare baaien en grotten, en uitzicht op spectaculaire rotsformaties of op een van de vogelrotsen voor de kust (zie ook 'Wandelen' onder Sport en Activiteiten). Op Jersey en Guernsey worden door meerdere bureaus excursies aangeboden langs de belangrijkste bezienswaardigheden van de eilanden. Een wel heel bijzonder uitstapje kunt u boeken bij wildguernsey.wordpress.com: onder begeleiding van gidsen trekt u over het eiland en verzamelt (en kookt) u daarbij uw eigen maaltijd. Een bijzondere manier om het eiland te leren kennen!

Huurauto

De meeste huurauto's worden op telefonisch verzoek afgeleverd bij uw hotel of de luchthaven. De bekende firma's Avis, Hertz en Europcar bieden hier hun diensten aan, aangevuld met plaatselijke verhuurders (zie St-Helier resp. St-Peter Port). U hebt voor het huren van een auto een creditcard nodig. Boven dien stellen de meeste verhuurder de eis dat de chauffeur minimaal 21 o 25 jaar oud moet zijn, en kennen vele oo een maximumleeftijd (79). In Guernse moeten chauffeurs die ouder zijn dan 8 een aanvullende verzekering afsluite om een auto te kunnen huren. De prijzen zijn laag: u huurt op Jersey al voor circa £ 20 per dag, £ 80 per week.

Er zijn meerdere **touroperators** die de Kanaaleilanden in hun aanbod hebben opgenomen. Wie graag tuinen bezoekt of wil wandelen, kan het beste een georganiseerde reis boeken, omdat die vaak voordelige chartervluchten gebruiken. Informatie over de verschillende mogelijkheden vindt u op www.jersey.com en www.visitguernsey.com

Tanken

Benzine, diesel en super komen overeen met het Europese aanbod en zijn, afhankelijk van de belasting die elk eiland heft goedkoop. De prijzen liggen aanzienlij lager dan op het Europese vasteland.

Taxi

Het is het handigste om uw hotel te vragen telefonisch een taxi te bestellen; taxistandplaatsen zijn te vinden in St-Helier en St-Peter Port, evenals bij de vliegvelden en de terminals van de ferries.

Tussen de eilanden

Kleine propellervliegtuigen (Air Aurigny) verbinden Jersey, Guernsey en Alderney met elkaar. Naar Sark en Herm varen veerboten, die vertrekken vanaf vanaf St-Peter Port op Guernsey.

De veerboot tussen Jersey en Guernsey is niet alleen een manier om van A naar B te komen; het is tegelijkertijd een leuke *sightseeingtour* langs de mooie baaien aan de zuidzijde van Jersey, om de landpunt van Corbière heen en langs St Ouen's Bay. Ook de aanblik van het schilderachtige St-Peter Port vanaf de veerboot is zeer de moeite waard.

Verkeer

Wie zijn eigen auto mee wil brengen, is vanzelfsprekend aangewezen op de autoferries (zie blz. 20). Jersey en Guernsey hebben de hoogste autodichtheid van Europa. De straten zijn door de hoge

Duurzaam reizen

Wie een tripje naar Bretagne niet schuwt, kan per TGV (kijk voor tickets op www.tgv-europe.com) tot Rennes reizen en van daar doorgaan naar St-Malo, dat met zijn bezienswaardige, ommuurde oude binnenstad (*ville close*) zeker een bezoekje waard is. Vervolgens kunt u voordelig met de veerboot naar Jersey en Guernsey reizen. Eenmaal op de Kanaaleilanden aangekomen, is vervoer verder geen enkel probleem. Dankzij de geringe afstanden en het goed ontwikkelde busnet kunt u ook zonder auto overal prima komen. Zelfs met de fiets (met name op Jersey) en te voet kunt u alles moeiteloos bereiken.

hagen en muren vaak uiterst onoverzichtelijk en met name op Guernsey ook nog extreem smal. De weg vinden is het makkelijkst op Jersey, omdat alle wegen en straten voorzien zijn van een goede bewegwijzering. Herm en Sark zijn autovrij.

Verkeersregels

Net als in Groot-Brittannië rijdt men op de Kanaaleilanden **links**; voetgangers moeten dus bij het oversteken van een straat, net als automobilisten en fietsers bij het oversteken van kruisingen, eerst naar rechts, dan naar links kijken. Steek in het begin bij voorkeur over bij zebrapaden en pas goed op – het is echt even wennen! Maak ook zoveel mogelijk gebruik van de trottoirs; is er geen stoep voorhanden, loop dan aan de rechterzijde van de weg.

De **alcohollimiet** is 0,8 promille en er wordt veel en streng gecontroleerd. Wie dronken achter het stuur zit, wordt altijd bestraft met een direct rijverbod en intrekking van het rijbewijs.

Er zijn verkeersregels en -borden die afwijken van hun Europese 'broeders'. Bij een T-splitsing van een zijstraat en een hoofdstraat staat een **gele streep** dwars over de rijbaan gelijk aan een stopteken; het verkeer in de hoofdstraat heeft voorrang. Op veel kruisingen en toeritten tot rotondes geldt de zogeheten **Filter-in-turn**-regel, die ruimschoots voor de kruising of rotonde al wordt aangekondigd met het bord 'filter ahead'. Dit *filter in turn* is te vergelijken met wat bij ons ritsen heet. Geef uw medeweggebruikers dus de ruimte.

Op de eilanden gelden verschillende maximale **snelheden**. Op Jersey mag maximaal 40 *miles per hour* worden gereden (circa 64 km/u). De in landelijke gebieden ingestelde Green Lanes en Ruettes Tranquilles (op Guernsey) kennen een maximale snelheid van slechts 15 *miles per hour* (24 km/u); voetgangers en fietsers hebben hier voorrang. Op Guernsey en Alderney is de maximale snelheid 35 *miles per hour* (circa 56 km/u). Vanwege de nauwe en vaak onoverzichtelijke straten is de kans groot dat u die snelheid niet haalt en is het vaak verstandig langzamer te rijden.

De **parkeervoorschriften** zijn op de Kanaaleilanden zeer streng. Wie ze negeert, kan op een hoge boete rekenen. Een doorgetrokken gele lijn betekent dat er absoluut niet geparkeerd mag worden. Veel parkeerplaatsen zijn voorzien van een bordje *disc zone*. Hier moet u een parkeerschijf gebruiken, waarop de aankomsttijd wordt aangegeven. Op Jersey hebt u *paycards* nodig; daarop krast u de aankomsttijd open, waarna u de kaart achter de voorruit plaatst (u kunt dergelijke kaarten kopen bij het Tourist Information Centre en in veel winkels). Er staat tegenover dat er heel wat parkeerplekken zijn, bijvoorbeeld aan de kust, waar u gratis mag staan.

Onderweg op de Kanaaleilanden

De moed het eens langzaamaan te doen – die zou u eigenlijk moeten meebrengen als u op reis gaat naar de Kanaaleilanden. Op Sark is de fiets het favoriete vervoermiddel, maar u kunt ook kiezen voor de relaxte combi van paard en wagen. Wie over de landengte La Coupée naar Little Sark wil, moet hoe dan ook af- of uitstappen. De afgrond links en rechts wenkt er met een diepte van 90 m ...

Jersey

St-Helier ▶ P 22-23

De hoofdstad van Jersey (zo'n 30.000 inwoners) is cosmopolitisch en hectisch – en dat op een afgelegen eiland in de Golf van St-Malo. 's Ochtends voor negenen en 's avonds tussen vijf en zes stokt het verkeer hier in de tunnel onder Fort Regent en rondom St-Helier. Keurig geklede mensen haasten zich over straat, op weg naar hun werkplek, supermarkt of *single*-appartement. De meesten werken in de financiële sector, die bijna 80% van de lokale economie vormt.

De stadt bloeit en bouwt. Tussen het centrum en Elizabeth Harbour, waar de veerboten aanmeren, is door landwinning een volledig nieuwe stadswijk ontstaan met moderne, interessante architectuur: de Waterfront – chique kantoren en appartementen met uitzicht op deinende jachten, een grote bioscoop, een overdekt zwembad en tal van handige afhaalrestaurantjes. Maar het St-Helier dat zich buiten deze stedelijke drukte bevindt, herbergt ook rustige hoekjes: parken en verstilde pleintjes met uitnodigende cafés, restaurants en pubs.

Liberation Square 1

Op dit plein herinnert een beeldengroep met bron, opgesteld in 1995 ter gelegenheid van 50 jaar Bevrijdingsdag, aan het einde van de Duitse bezetting op 9 mei 1945. Het plein wordt omsloten door bankkantoren en vormt een oase van rust temidden van al het drukke stadsverkeer.

Maritime Museum 2, Steam Clock Ariadne 3

1 Blz. 35

Jersey Museum 4

Weighbridge Place, www.jersey-heritage.org, in de zomer dag. 10-17, in de winter 10-16 uur, £ 8

Het Jersey Museum is museum, galerie en monument (een beschermd victoriaans koopmanshuis) ineen; neem voor een bezichtiging de tijd. Naast de filmzaal van het **museum** ligt in het souterrain een donkere kamer met folterwerktuigen uit Newgate, de voormalige gevangenis van St-Helier, inclusief een heuse *treadmill* (tredmolen), waarin ooit twaalf gevangenen tegelijkertijd zwoegden. Op de eerste verdieping wordt u geïnformeerd over de geologie, flora, fauna, politiek, cultuur en geschiedenis van Jersey en kunt u een kijkje nemen in de haast natuurgetrouwe kopie van La Cotte, een grot waar 250.000 jaar oude dierenbotten werden gevonden. Ook een bij opgravingen in St-Helier ontdekte gouden armband is hier te zien. Het sieraad kwam 3000 jaar geleden vanuit Ierland naar het eiland.

Een etage hoger toont de **Art Gallery** schilderijen van kunstenaars uit Jersey, met onder andere portretten van de 'Jersey Lily' Lillie Langtry. Deze domineesdochter uit St-Lawrence deed aan het einde van de 19e eeuw van zich spreken als actrice en maîtresse van de Britse kroonprins Edward.

Nog een etage hoger wacht u een prachtig uitzicht op Fort Regent en het

St-Helier, hier King Street, is de winkelhoofdstad van de Kanaaleilanden

Signalstation van 1708, het oudste van de Britse eilanden. Kenners kunnen uit de wimpels afleiden welke schepen zijn binnengelopen. Nog altijd worden storm, hoge vloed en het uitrukken van de reddingsboot hier kenbaar gemaakt.

Wie over de drempel van het ernaast gelegen gebouw stapt, dat in 1820 werd opgetrokken voor koopman en reder Philippe Nicolle aan **Pier Road No. 9**, waant zich in een andere tijd. Het werd tot in detail gerestaureerd – inclusief gasverlichting – tot de toestand van 1861: een grootburgerlijke, representatieve victoriaanse residentie. De naam Pier Road had overigens een reden: destijds lag de kaai met grote waag (*weighbridge*) direct voor de deur. In die dagen was het bijzonder dat de reder hier niet alleen kantoor hield, maar er ook woonde.

Parish Church St-Helier 5

De Parish Church St-Helier , opgetrokken uit rood graniet, werd al in de 11e eeuw genoemd; het huidige gebouw dateert grotendeels uit de 14e eeuw. De koorramen in pre-raffaëlitische stijl werden tussen 1864 en 1868 toegevoegd. Een simpele steen met het opschrift *'Peirson': The Battle of Jersey* gedenkt een belangrijk moment in de geschiedenis van Jersey. Majoor Peirson verdedigde de eilanden in 1781 met succes tegen de Fransen. Hij vond daarbij de dood, evenals de voorman van de vijand, baron de Rullecourt, die buiten de kerk werd bijgezet.

Royal Square 6

Ter ere van koning Charles II heet het marktplein nu Royal Square. Twee keer werd Charles op dit plein tot koning uitgeroepen: in 1649 na de executie van zijn vader door Cromwells troepen (waarmee Jersey zijn royalistische inslag bewees), en in 1660 toen de monarch na het einde van de republiek eindelijk terug kon keren naar Engeland. Het gouden **beeld** is George II, uitgedost als Romeins keizer – niet echt authentiek, met de koket getoonde orde van de kousenband.

1 Jersey, de kabeljauw en de zee – het Maritime Museum

Kaart: ▶ Stadsplattegrond: blz. 36

In een van de voormalige havenpakhuizen in St-Helier nodigt het Maritime Museum bezoekers uit kennis te komen maken met de wereld van de zee en de zeevaart. Het is een museum waar niemand zich snel zal vervelen, dankzij de talloze technische snufjes die alle ruimte bieden voor eigen activiteiten en spannende ontdekkingen.

Haventocht voor ontdekkers

St-Heliers Waterfront wordt gedomineerd door dure kantoor- en appartementengebouwen met uitzicht op de jachthaven. Aan het begin van de 21e eeuw werd deze wijk getransformeerd tot vrijetijds- en zakendistrict. Voordat het toerisme en de financiële sector de belangrijkste inkomstenstroom werden, was de zee voor de bewoners van St-Helier hun bron van welvaart. De zeevaart bracht voorspoed: eerst door vrijbuiterij en piraterij, later door de kabeljauwvangst. Een ook daarover vertelt het in 1997 geopende **Maritime Museum** 2. De ingang wordt gemarkeerd door een boegbeeld, een replica van een beeld dat ooit het schip Roseau tooide – vandaar dat ze een boeket in de hand houdt.

Leerzaam met een knipoog

Het Maritime Museum werd meermaals onderscheiden vanwege het aantrekkelijke museumconcept, dat nieuwsgierig maakt naar de techniek rond de zeevaart. Bijzondere machines brengen het maritieme leven dichterbij. Zo wordt op speelse wijze duidelijk gemaakt hoe een scheepsschroef functioneert of hoe een scheepsmotor er van binnen uitziet. Wie zich even een scheepsbouwer wil wanen, kan een minizeilboot bouwen die meteen in de windtunnel mag worden uitgeprobeerd. Zinkt-ie of zinkt-ie niet ... In het aangrenzende dok kan nog veel meer worden beleefd.

De kabeljauwdriehoek

Jerseys zakenlieden en handelaren dachten blijkbaar altijd al groots; zo wisten ze tussen 1830 en 1880 een interessante plek in de wereldhandel te veroveren. Met hun schepen vingen ze aan de andere kant van de Atlantische Oceaan voor New Foundland kabeljauw *(cod)* in schier oneindige hoeveelheden. De vis werd aan land gebracht om gedroogd en gezouten te worden, en werd vervolgens als stokvis naar Europa en Zuid-Amerika verscheept, waarvoor in ruil kostbare producten als tropenhout, suiker en koffie werden ingeslagen.

Historisch surfboard

Een van de opvallendste voorwerpen is een wat onhandig ogende plank van stevig op elkaar gelijmde laagjes hout. Het is het oudste surfboard ter wereld. De eerste surfers werkten hier aan het strand van St-Ouen's Bay als *life guards;* ze kwamen uit Zuid-Afrika en surfden daar al sinds 1958. De baai is nog altijd een van de beste Britse surfspots.

De schipbreuk van de Havick

De baai van St-Aubin én een nalatige kapitein werden op 9 november 1800 een in 1784 in Amsterdam gebouwd voormalig korvet (een klein fregat), de Havick, fataal. Tijdens een patrouille voor de Bretonse kust had de kapitein het anker verloren. Daarom had de Havick, net als veel andere schepen, haar toevlucht gezocht in Aubin's Bay toen er een storm opstak. Maar de zuidwestelijke orkaan blies het schip weg, dat vervolgens als een speelbal tussen First Tower en Bel Royal strandde. Niemand raakte bij de schipbreuk gewond; het wrak werd in 1987 ontdekt en vanaf 1997 blootgelegd. Het biedt een mooi kijkje in het dagelijkse leven aan boord van een schip, van tabakspijp tot bestek.

Tapestry Gallery

In het gebouw van het Maritime Museum (dezelfde openingstijden) is een vertrek geheel gewijd aan een bijzonder kunstwerk. In **Tapestry Gallery** is het zogeheten Occupation Tapestry tentoongesteld. Het zijn twee kleurige, aansprekende wandtapijten waaraan meer dan tweehonderd bewoners hebben meegewerkt en die de Duitse bezetting van de eilanden van 1940-1945 als thema hebben. Het leven van alledag in die jaren staat centraal. De werken hebben een duidelijke strekking: ook onder de bezetter bleven de eilandbewoners altijd trouw aan Engeland.

Pauze!

De volgens velen beste koffiebar *in town* is gevestigd in het voormalige treinstation langs de vroegere lijn van St-Helier naar St-Aubin. In **Pasty Presto** 7 is elke koffievariant beschikbaar, van cappuccino tot heerlijke macchiato (£ 2-3) – wie hier alleen een kopje thee drinkt, laat echt een kans liggen. Er is bovendien heerlijk Frans gebak en wie nog grotere honger heeft, waagt zich aan de roemruchte Cornish pasties met een vulling naar keuze (£ 4,50-6). Snel, lekker, voordelig, ook om mee te nemen. Gratis WiFi.

In de buurt

Aan de achterzijde van het Maritime Museum trekt een merkwaardig gevaarte elk kwartier met harde, blikken slagen de aandacht. Het is de **Steam Clock Ariadne** 3, een heuse stoomklok (Steam Clock). Deze creatie, gemaakt van onderdelen van oude passagiersschepen, lijkt wel uit het waterbekken op te stijgen en wordt aangedreven door een stoommachine – een ware curiositeit.

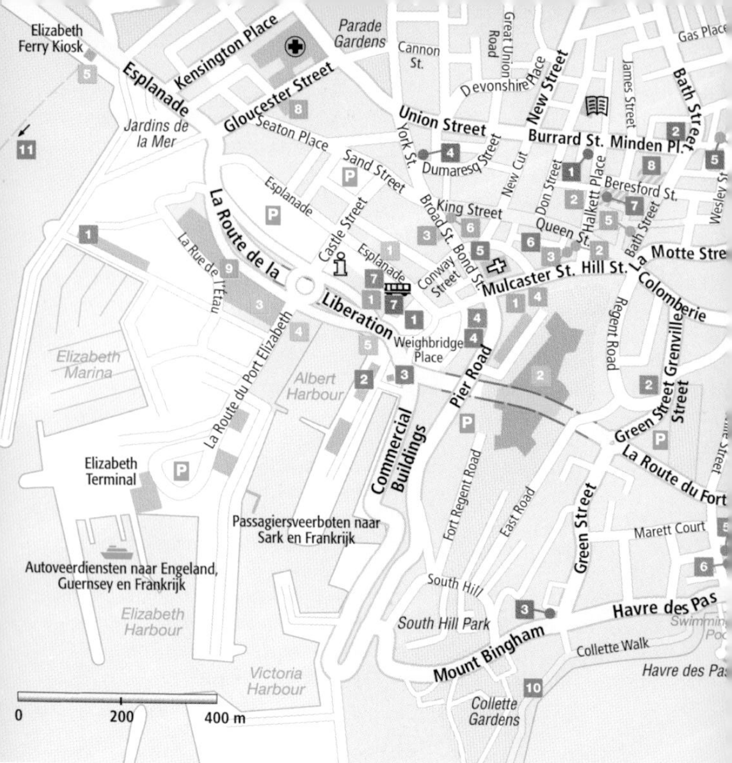

Het Royal Square, met zijn oude kastanjebomen en bankjes, is een heerlijk verstilde, groene oase temidden van alle verkeers- en stadsdrukte. Aan een van de lange zijden van dit vierkante plein strekken zich het majestueuze **Royal Court** uit (gebouwd in 1866), waar in de States Chamber het parlement van Jersey zitting houdt, alsmede de voormalige **Public Library**. Op de kleurige wapenschilden boven de ingangen zijn duidelijk de symbolen te herkennen van de Engelse koningen – leeuw en eenhoorn. Een opschrift herinnert aan de grootste dichter die Jersey heeft voortgebracht, Maistre Robert Wace, die in de middeleeuwen met de kronieken 'Roman de Rou' en 'Roman de Brut' literatuurgeschiedenis schreef door de Arthur-legende te introduceren in de Franse literatuur.

Markthallen

De **Central Market** 7 in de gerestaureerde hallen aan Halkett Place/hoek Beresford Street met zijn glazen koepel met fontein eronder, is een interessant en bezienswaardig voorbeeld van de typische victoriaanse ijzer-glas-architectuur. De slanke, ijzeren zuilen zijn opgesmukt met delicate kapitelen. De ijzeren dragers in de zwikken (een zwik is het hoekstuk tussen een cirkel en de omlijsting van de cirkel) zijn gedecoreerd met de wapens van Jersey en ranken van gietijzer (ma.-wo., vr., za. 7.30-17.30, do 7.30-14 uur). De vismarkt wordt gehouden in het gebouw dat schuin tegenover de Market ligt, **Beresford Market** 8, een functioneel bouwwerk zonder al te veel versiering, waar het vooral 's ochtends een drukte van belang is. De grootste attractie hier is het

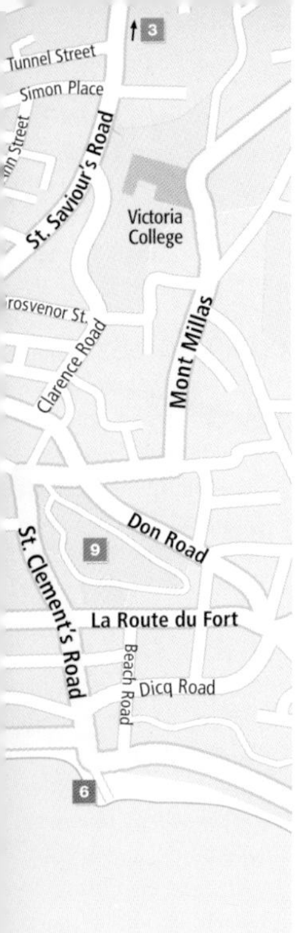

St-Helier

Bezienswaardigheden
1 Liberation Square
2 Maritime Museum
3 Steam Clock Ariadne
4 Jersey Museum
5 Parish Church St-Helier
6 Royal Square
7 Central Market
8 Beresford Market
9 Howard Davis Park
10 Collette Walk
11 Elizabeth Castle

Overnachten
1 Radisson Blu
2 Club Hotel & Spa met restaurant Bohemia
3 Hôtel de France
4 Royal Yacht Hotel
5 Alhambra Hotel
6 La Bonne Vie
7 Liberty Apartments

Eten en drinken
1 La Capannina
2 Mino's
3 Moita's
4 Hector's Fish & Chip
5 Cafejac
6 Dicq Shack
7 Pasty Presto

Winkelen
1 Liberty Wharf
2 Jersey Pottery Shop
3 Post Office

Uitgaan
1 Lamplighter Pub
2 Cock & Bottle
3 The Peirson
4 Chambers
5 Dog & Sausage
6 Blue Note
7 Jersey Arts Centre
8 Jersey Opera House
9 Cineworld

Sport en activiteiten
1 Zebra Hire
2 Fort Regent Leisure Centre
3 Aquasplash
4 South Coast Cruises
5 Little Train

grote en bijzonder diverse aanbod aan kreeften, garnalen, mosselen en vissen in alle soorten en maten, die uit de wateren rondom de eilanden worden gehaald (ma.-za 7.30-17.30 uur).

Howard Davis Park 9

Bij de ingang van het park worden bezoekers begroet door het imposante standbeeld van koning George V. De tuin is een paradijs vol subtropische planten, die uitstekend gedijen in het milde klimaat aan de zuidkust. Thomas Benjamin Frederick Davis, een burger van het eiland die in Zuid-Afrika zijn rijkdommen vergaarde, liet het park aanleggen. Vandaag de dag word het beheerd door een stichting. Ter nagedachtenis aan Davis' zoon Howard, die viel in de Eerste Wereldoorlog, werd het park omgedoopt tot Howard Davis Park.

Collette Walk 10

De promenade op St-Heliers zuidzijde strekt zich uit langs de Collette Gardens, voorzien van talloze bankjes voor wie hier graag even wat zon wil tanken. Hier eindigt ook het fietspad dat helemaal langs St-Aubin's Bay voert. Trappen brengen bezoekers omhoog naar dit prachtige kleine park boven de Havre des Pas. Er groeien palmen, vijgenbomen, talloze sierstruiken en mediterrane kruiden. Een beetje verstopt staat in de zuidoostelijke hoek een van de weinige 'echte' martellotorens van Jersey, de Collette Tower, die werd opgetrokken in 1833 om het eiland te beschermen tegen een mogelijke Franse invasie.

Elizabeth Castle 11

2 Blz. 41

Overnachten

Luxe on the Waterfront – **Radisson Blu** 1: Rue de L'Etau, tel. 01534 67 11 00, www.radissonblu.co.uk/hotel-jersey. Dit supermoderne gebouw uit 2011 telt 195 kamers en biedt eersteklas uitzicht op de marina en St-Aubin's Bay. Kamerprijs (tot drie personen) met uitzicht op St-Helier £ 165, met uitzicht op zee £ 190.

Boetiekhotel – **Club Hotel & Spa** 2: Green St., tel. 01534 88 05 88, www.theclubjersey.com. 1 pk /2 pk /suite £ 215-445 incl. continental breakfast. Dit hotel ligt midden in de stad; het is modern en ideaal voor mensen die echt willen genieten. Het wellness-aanbod bestaat onder meer uit sauna, zoutwaterbekkens, en nog veel meer.

Wellness in een paleishotel – **Hôtel de France** 3: St-Saviour's Rd., tel. 01534 61 41 00 (reserveren), www.defrance.co.uk. Modern hotel met viersterrencomfort; het telt 284 kamers en is voorzien van zwembad, sauna, solarium, fitnessstudio, conferentiezalen en een bioscoop. Het ligt aan de rand van de stad. Hoogseizoen (juli/aug.) 1 pk £ 80-145, 2 pk £ 160-210.

Chic en centraal gelegen – **Royal Yacht Hotel** 4: Weighbridge Place, tel. 01534 72 05 11, www.theroyalyacht.com. Eersteklas viersterrenhotel midden in het centrum, met balkons met uitzicht op de haven. In de glazen aanbouw van dit historische hotel, dat direct naast het Jersey Museum ligt, zijn drie restaurants, vier bars, een spa en een overdekt zwembad ondergebracht; £ 135-220 per persoon.

Met de **Jersey Pass** kunt u zestien bezienswaardigheden bezoeken, zoals Elizabeth Castle, Gorey Castle en La Hougue Bie en Durrell; de pas kost £ 32 (voor 2 dagen), £ 45 (4 dagen) of £ 59 (6 dagen). Meer info onder www.jerseyheritage.org.

Gezellig hotel – **Alhambra Hotel** 5: Roseville St., tel. 01534 73 21 28, www.alhambrahotel.net. Dit kleine hotel telt achttien kamers en ligt op een rustige locatie; het is een familiehotel met alle gangbare comfort; 2 pk £ 66-110, afhankelijk van het seizoen.

Mooie B&B – **La Bonne Vie** 6: Roseville St., tel. 01534 73 59 55, www.labonnevieguesthouse-jersey.com. Deze mooie, victoriaanse villa telt tien comfortabele kamers en is ingericht met hemelbedden en veel pluche. Juni-sept. £ 30-38 pp.

Zelfstandigheid troef – **Liberty Apartments** 7: Bridge Street Worldwide, The Esplanade, tel. 01534 71 47 00, www.libertyapartments.co.uk. Zowel de veeleisende wereldreiziger als de doorgewinterde zakenman zal zich hier meteen thuisvoelen: appartementen met een of twee slaapkamers, vanaf £ 75/85 zonder ontbijt (£ 595-1400 per week). Moderne keuken die van alle gemakken is voorzien, dvd-speler, tv, ruime comfortabele badkamer, in nieuwbouw direct naast het busstation – centraler kan niet.

Eten en drinken

Met ster – **Restaurant Bohemia:** in **The Club Hotel** 2 (zie boven), Green St., tel. 01534 88 05 88, www.theclubjersey.com, ma.-za. 12-14.30, 18-22 uur. Sinds 2005 bekroond met een Michelinster; de bekende Britse televisiekok Shaun Rankin staat hier achter het fornuis en kookt bij voorkeur met producten uit Jersey, zoals vis en zeevruchten en lokale groenten (drie gangen vanaf £ 55, lunch vanaf £ 18-20).

Het betere Italiaans – **La Capannina Restaurant** 1: 67 Halkett Place, tel. 01534 73 46 02. Uitstekend Italiaans restaurant met een onmiskenbaar Frans accent en een eersteklas wijnkaart, lunch/diner £ 15-30. Antipasti £ 9-19, vleesgerechten £ 15-19 en *cover charge* van £ 3; de lunchgerechten hebben een lichter karakter (circa £ 7,50).

Viva Italia – **Mino's** 2: 66 Bath St. (hoek Minden Place), tel. 01534 73 73 97, zo. gesloten, in de zomer dagelijks geopend. mediterrane keuken – Italiaans, Portugese *espetadas*, veel visgerechten; lunchkaart £ 8-12,50, 's avonds kosten gerechten rond £ 21.

Portugees en vooral veel – **Moita's** 3: Havre des Pas, tegenover het Fort D'Auvergne Hotel. In dit prettige restaurant wordt veel vis geserveerd en de typische Madeira-espetadas van het houtvuur – en alles in enorme porties. Driegangenmenu £ 17, hoofdgerechten £ 15-18 . Prima wijnen.

Fish'n'chips – **Hector's Fish & Chip Restaurant** 4: 1 Dumaresq Street, ma.-za. 12-22 uur. Friet wordt hier met de hand gesneden, de vis is spartelfris en goed gepaneerd – wat kan een mens nog meer verlangen? Als alternatief zijn er hamburgers. De meeste gerechten kosten minder dan £ 10, zoals Cod and chips voor £ 7,75. Wie niet kan kiezen, kan het beste Hector's *fish platte*r voor één persoon bestellen (£ 11,95).

Cult – **Cafejac** 5: Jersey Arts Centre, Phillips Street, www.cafejac.co.uk, keuken geopend ma.-vr. 7.30-20, za. 7.30-14.30 uur, zo. gesloten. Altijd vol, voordelig en lekker. Er wordt multicultureel gekookt en het wachten is de moeite waard; Tunesisch lam met kikkererwtenpuree, couscous en harissa voor £ 8,75, vegetarische gerechten zoals pakoras £ 7,25; ook sandwiches.

Thais wegdromen aan het strand – **Dicq Shack** 6: Le Dicq Slipway, St -Clement's Rd., hoek Havre des Pas, tel. 01534 73 02 73, dag. zomer 12-21, verder 17-21 uur. Zeer populair, voorgerechten £ 5-12, hoofdgerechten £ 10-15, grote keuze uit authentieke Thaise gerechten in een eenvoudig houten optrekje met tafeltjes en parasols aan het strand; alles kan ook worden meegenomen.

Snel en voordelig – **Pasty Presto** 7: zie blz. 35.

Winkelen

In de hoofdstraten in de voetgangerszone, Queen Street en King Street, liggen meerdere kleding- en schoenenzaken. U vindt er ook de oude plaatselijke warenhuizen Gruchy's en Voisin's. In **Central Market** 7 (zie blz. 36) wordt het waarschijnlijk meer kijken dan kopen: hier worden groente en fruit verkocht, zuivelproducten en vlees. In **Beresford Market** 8 (zie blz. 37) wordt de vismarkt gehouden.

Stijvol – **Liberty Wharf** 1: Liberation Place. De historische muren van dit voormalige abattoir omsluiten tegenwoordig chique boetieks en trendy interieurwinkels.

Keramiek – **Jersey Pottery Shop** 2: Halkett Place/Waterloo St. Hier kunt u smaakvolle producten kopen van de pottenbakkerij in Gorey (zie blz. 62).

Voor postzegelverzamelaars – **Post Office** 3: Broad St., ma.-vr. 9-17, za. 9-14 uur, met het Philatelic Bureau dat speciaal is ingericht voor filatelisten.

Uitgaan

Pub met sfeer – **Lamplighter Pub** 1: 9 Mulcaster St., tel. 01534 72 31 19. De enorme 'Rule-Britannia'-figuur op de façade van dit monument – creatie van een kapitein in ruste – is nauwelijks over het hoofd te zien. De pub is een van de beste adressen voor een goed glas bier of cider uit Jersey; er wordt ook Real Ale uit Cornwall geschonken. Maar ook de whiskyliefhebber kan hier zijn of haar hart ophalen: de pub heeft meer dan honderd soorten *malt whisky*.

Aardige pub – **Cock & Bottle** 2: Halkett Place/hoek Royal Square. Traditionele pub met een gevarieerde clientèle. In de zomer staan de tafels op het Royal Square uitgestald. Er wordt in deze pub geen avondeten geserveerd.

Historisch decor – **The Peirson** 3: Royal Square. Deze traditionele pub met een paar tafeltjes op het plein serveert

niet alleen allerlei soorten bier, maar ook stevige, traditionele Jersey-gerechten. Specialiteit van het huis is de grote 'Major-Burger' met garnalen (£ 6,50).
Regelmatig livemuziek – **Chambers** 4: Mulcaster St. De donkere leren banken en de vele boeken bij de ingang zijn kenmerkend voor de gezelligheid in dit café; verder achterin ligt een podium voor livemuziek. Het is er 's avonds in de regel behoorlijk druk; er worden veel biersoorten geschonken en er kan ook worden geluncht.
Traditioneel – **Dog & Sausage** 5: 9 Halkett St. Traditionele pub met Real-Ale.
Jazz live – **Blue Note** 6: 20 Broad St. Dit is hét adres op de Kanaaleilanden voor liefhebbers van jazz, met regelmatig livemuziek.
Ruim cultuuraanbod – **Jersey Arts Centre** 7: Phillips St., tel. 01534 70 04 00, www.artscentre.je Cabaret, lezingen en toneelvoorstellingen.
Shows en nog meer – **Jersey Opera House** 8: Gloucester St., voorverkoop tel. 01534 51 11 15, www.jerseyopera house.co.uk. In tegenstelling tot wat de naam misschien doet vermoeden, zijn hier niet alleen operavoorstellingen te zien. Bezoekers kunnen er in historische Edwardiaanse pracht en praal genieten van varieté, allerlei soorten shows en musicals.
Groot scherm – **Cineworld** 9: The Waterfront, www.cineworld.co.uk

Sport en activiteiten

Fietsverhuur – **Zebra Hire** 1: 9 Esplanade (tegenover het busstation), tel. 01534 73 65 56, www.zebrahire.com. Voor de betere kwaliteitsfiets, mountainbikes of racefietsen (£ 15/dag, £ 25/2 dagen), maar bijvoorbeeld ook tandems (£ 30/dag, £ 60/2 dagen); tevens huurauto's (zie hiernaast).
Indoor – **Fort Regent Leisure Centre** 2: tel. 01534 44 98 00, www.gov.je/esc, ma.-vr 9-21, za., zo. 9-17 uur. Bowling, minigolf, badminton, squash, tafeltennis, biljart – voor een sportief alternatief op een regenachtige dag.
Waterpret – **Aquasplash** 3: Waterfront, tel. 01534 73 45 24, www.aqua splash.je Het hele jaar geopend; zwembad met binnen- en buitenbassins, sauna, stoombad, waterglijbaan en allerlei extra's voor de kleintjes.
Sightseeing per boot – **South Coast Cruises** 4: kiosk bij Albert Quay, tel. 01534 73 24 66 of mobiel 07797 78 88 41 www.jerseycruises.com. Tochtjes langs de zuidkust.
Mini-trein – **Little Train** 5: www.littletrain.co.uk, apr.-okt. 10-17 uur. Tocht van 35 min. langs St-Aubin's Bay, start bij de doorgang naar Elizabeth Castle.

Informatie en reserveringen

Jersey Tourism Visitor Centre: Liberation Place, tel. 01534 44 88 77, www.jersey.com. nov.-half apr. ma.-vr. 8.30-17.30, za. 9-13 uur, half apr.-mei en okt. ma.-vr. 8.30-17.30, za., zo. 9-13 uur, juni-sept. dagelijks 8.30-17.30, za., zo. 9.30-14.15 uur.
Bus: vanaf busstation Liberation Station rijden lijndiensten naar alle hoeken van het eiland; info: tel. 01534 87 77 72, www.mybus.je
Veerdiensten: de veerboten (Condor) uit Frankrijk, Groot-Brittannië en Guernsey leggen aan bij Elizabeth Terminal; passagiersboten (Manche-Iles Express) naar Frankrijk en Sark bij de Albert Terminal (ca. 300 respectievelijk 500 m naar de binnenstad), bus 19 (enkel ma.-za.).
Taxi's: taxistandplaatsen (Public Rank) bij Weighbridge Place, Broad St., aan de voet van Fort Regent (Snow Hill) en in de haven.
Huurauto: bij de meeste verhuurders staan de huurauto's na telefonische reservering voor u klaar bij luchthaven, haven of hotel (zie ook blz. 28). In St-Helier worden auto's verhuurd bij on-

2 Koninklijk te water – Elizabeth Castle

Kaart: ▶ Stadsplattegrond: blz. 37

Er zijn weinig vestingen die eeuwen militaire geschiedenis zo aanschouwelijk weten te maken als Elizabeth Castle. Deze koninklijke burcht, gelegen in de baai van St-Helier, doorstond ruim 5 eeuwen belegeringen en kanongeraas. Vreemd genoeg was de eerste rotsbewoner die we bij naam kennen een heilige ...

Tot in de 16e eeuw lag de belangrijkste burcht van Jersey, tevens thuisbasis van de *lieutenant governor*, de vertegenwoordiger van de Engelse kroon, aan de oostkust van het eiland: Mont Orgueil (zie blz. 63). Maar de burcht in Gorey was niet opgewassen tegen nieuwe militaire technieken. En daarom werd aan het einde van de 16e eeuw op L'Islet Rock – ruim 1 km in St-Aubin's Bay – begonnen met de werkzaamheden voor een nieuw fort, dat op werd getrokken volgens de allernieuwste inzichten over vestingarchitectuur. De toenmalige *lieutenant governor*, sir Walter Raleigh, gebruikte het van 1600-1603 als officiële residentie. Galant als de man was, vernoemde deze 'piraat van de koningin' de nieuwe burcht naar zijn weldoenster: Fort Isabella Bellissima, tegenwoordig Elizabeth Castle.

Korte geschiedenis van een fort

Aan het tussen 1594 en 1601 gebouwde eerste burchtcomplex (Upper Ward) om de ronde toren (Keep) op het hoogste punt, werd in de 17e eeuw tijdens de Engelse burgeroorlog aan de landzijde van het kleine eiland een voorpost toegevoegd: Fort Charles. Tussen Fort Charles en de burcht lag destijds, afgezien van een windmolen, niets dan

Bijna net als 300 jaar geleden: marcherend over het exercitieterrein

ongerept land. De voorpost werd afgescheiden door een gracht en kon zelfstandig worden verdedigd. Pas in de 18e eeuw werd er een garnizoensgebouw aan toegevoegd, dat tot in de 19e eeuw werd gebruikt. In 1942 werd Elizabeth Castle, strategisch interessant vanwege de ligging voor de haven, door de Duitse bezetter met bunkers en luchtafweergeschut versterkt.

Van voorpost tot voorplein, Outer Ward

Na **Fort Charles** 1 te zijn gepasseerd – vernoemd naar de Engelse Stuart-troonopvolger die tijdens de burgeroorlog zijn toevlucht op Jersey zocht – komen bezoekers uit bij de wachtpost **Guardhouse** 2 uit 1810. Daar krijgt u informatie over de vesting en de flora en fauna op het vestingeiland. Achter dit gebouw leiden rails naar de **Searchlight bunker** 3, waar tijdens de bezetting de zoeklichten werden verborgen.

Op weg naar het oudste deel van het eiland – de ronde toren op de zuidwestelijke punt – passeert u een rij kleine scheepskanonnen. Elke dag wordt om 12 uur vanaf het platform **The Cockpit** 4 een kanon afgeschoten – de knal herdenkt de burgeroorlog.

Overigens: bij de Battle of Jersey van 1781 slaagde een Frans commando erin helemaal tot het marktplein van St-Helier op te rukken. Een van de redenen waarom ze zo ver konden komen – ze waren aan land gegaan bij Rocque Point aan de oostkust– was dat de eilandsoldaten Elizabeth Castle door de opkomende vloed niet konden verlaten!

Tweede voorplein, Lower Ward

De weg leidt vervolgens naar een exercitieterrein, **Parade Ground** 5; het kruis in het midden markeert de vroegere standplaats van de abdijkerk, die in 1651 bij de belegering door de Engelse troepen werd verwoest. De kerk maakte deel uit van de abdij die in Normandische tijd, 1155, op het 'minieilandje' Islet werd gesticht. In de aangrenzende gebouwen uit de 18e eeuw zijn het **Castle Café**, het **Museum of Royal Jersey Mili-**

tia 6, de vroegere plaatselijke verdediging, en een **museum** 7 over de historie van Elizabeth Castle ondergebracht.

Allerheiligste: Upper Ward

Het sterkst beveiligde deel van de burcht, Upper Ward, is te bereiken door een met wapens getooide poort, de **Iron Gate** 8 (1600) en de oorspronkelijke ingang van de burcht, de in de jaren 1590 opgetrokken **Queen Elizabeth's Gate** 9. Deze leidt naar de oude **burchttoren (Keep)** 10 met resten van een oude Duitse bunker; hier kunt u St-Aubin's Bay en de haven van St-Helier zien liggen.

Voor kluizenaars

Op de zuidelijkste punt van het eiland, 300 m van het Castle verwijderd, ligt **Hermitage Rock** 11. Volgens de legende zou Helibert (Helier), de zoon van een heidense Saksische vorst uit het huidige Belgische Tongeren, hier halverwege de 6e eeuw vreedzaam hebben geleefd als heremiet. Maar toen hij piraten, wier taal hij sprak, tot het christelijke geloof probeerde te bekeren, zouden ze hem met een bijl hebben onthoofd. Daarop zou hij volgens de overlevering met het hoofd onder de arm zijn weggemarcheerd. De twee gekruiste bijlen in het wapen van St-Helier verwijzen nog naar dit mooie verhaal. Zijn kluis of hermitage, Hermitage Rock, is te bereiken via een dam (bij sterke wind gesloten). De kleine kapel aan het einde van de steile treden lijkt zo uit de rotsen te groeien, en werd in de 12e eeuw gebouwd boven een natuurlijke grot – volgens de legende de spartaanse verblijfplaats van de heremiet.

Informatie

Elizabeth Castle: www.jerseyheritage.org, begin apr.-eind okt., dag. 10-17.30 uur, volwassenen £ 9 (£ 11,50 incl. overtocht), kinderen £ 6 (£ 8,50).

Hoe er te komen

Te voet kan Elizabeth Castle alleen bij eb via de dam (Causeway) worden bereikt – en dat betekent dat de weg elke dag zeven uur lang is afgesloten. Het Castle is dan ook makkelijker te bereiken met een van de **Castle Ferries**, een amfibievoertuig dat aan de overkant aan de kaai klaarstaat. Deze boten met wielen 'rijden' zowel bij eb als bij vloed op en neer.

Oppassen voor kanonsschoten!

De Master Gunner geeft elke dag het commando *to fire*; wie hem wil helpen, kan zich tussen 11.30 en 13.30 uur als vrijwilliger melden. De in historische kostuums gestoken 'manschappen' van de vesting bieden bezoekers een kijkje in de historische gebeurtenissen op deze plek. Er wordt geëxerceerd en gemarcheerd en er worden gebeurtenissen nagespeeld, zoals het bezoek van Charles II., die hier tijdens zijn vlucht naar Frankrijk een tussenstop zou hebben gemaakt.

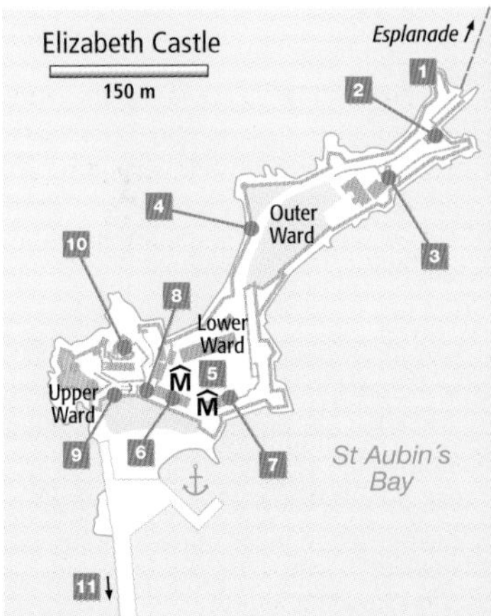

der andere Zebra Car Hire, 9 Esplanade, tel. 01534 73 65 56, www.zebrahire.com, en Sovereign Hire Cars, 27 Esplanade, tel. 01534 60 80 62, **www.carhire-jersey.com**.

St-Lawrence ▶ O-P 21-22

3 Blz. 45

Glass Church ▶ O 22

Millbrook, sinds 2011 wegens renovatie gesl., info www.glasschurch.org
St Matthew's Church, die van buiten eigenlijk niet zo heel bijzonder oogt, wordt vanwege het interieur ook wel de 'glazen kerk' genoemd. De glazen engelfiguren op de deuren, de engel met lelies in de hand op de muur naar de Lady's Chapel, de doopsteen en het 5 m hoge glazen kruis boven het altaar zijn gemaakt van opaak, in vorm gegoten glas, naar ontwerpen van de beroemde Parijse art-décokunstenaar René Lalique. Wanneer het zonlicht 's avonds vanuit het westen binnenvalt, en bij kunstmatige belichting, stralen de engelen in al hun schoonheid. In 1934 schonk Lady Trent de decoraties ter nagedachtenis aan haar overleden man, Sir Jesse Boots, oprichter van de Boots-keten.

St-Aubin ▶ O 22/23

St-Aubin maakt formeel deel uit van de gemeente St-Brelade, maar was lange tijd vanwege haar goed beschutte haven belangrijker dan de hoofdstad van het eiland, St-Helier. Waar vandaag de dag in de **haven** van dit kleine, pittoreske dorp talloze jachten liggen, kon al aan het einde van de 17e eeuw – onafhankelijk van het getijde – de vloot van de kabeljauwvissers overwinteren, bevoordat ze weer in de richting van New Foundland vertrokken. De havenstad leefde voor een groot deel van de verkoop van gedroogde vis, maar er werd ook druk gehandeld in kostbare producten uit verre landen, zoals thee en tabak, en in smokkelwaar, in het bijzonder wijn.

Alleen bij eb bereikt u met droge voeten het hart van het in de 16e eeuw gebouwde en in 1742 herbouwde **St-Aubin's Fort**, dat de haven aan de zeezijde afschermt. Het fort zelf is niet te bezichtigen. Pas goed op dat u voordat het vloed wordt weer tijdig aan de wandeling terug begint; u zou niet de eerste zijn die door het water wordt overvallen!

Corbière Walk ▶ M-O 22-23

In St-Aubin ligt het begin van de zogeheten Corbière Walk. Langs het tracee van de trein, die vanaf het eind van de 19e eeuw van St-Helier via St-Aubin naar Corbière Point reed, kan vandaag de dag heerlijk gewandeld of gefietst worden (12 km St-Helier-Corbière). Het begin kent de grootste klim; vanaf het Quennevais Sports Centre gaat het alleen nog maar omlaag. Nadat dit tracee eenmaal verlengd was tot aan Corbière, werd het tot in 1936 bereden. De Duitse bezetter was daarna de eerste die het spoor weer gebruikte. Na afloop van de oorlog werd het voorgoed stilgelegd.

Shell Garden ▶ N 22

Le Mont Les Vaux, tel. 01534 74 35 61, www.jersey.co.uk/attractions/shell garden, dag. 9.45-16.45 uur afhankelijk van het seizoen, £ 2
Vanaf St-Aubin klimt de weg steil omhoog naar het binnenland. Net achter een haarspeldbocht heeft de eigenaar van dit schelpenparadijsje zijn huis en tuin van top tot teen gedecoreerd met schelpen, in allerlei vormen en patronen. Het is een heuse kitsch-kaleidoscoop, die u niet snel ergens anders zult tegenkomen.

3 De groene paden op en door het hart – St-Peter en St-Lawrence

Kaart: ▶ N–P 21–22, afstand: ca. 8 km, Oriëntatiekaartje: blz. 46

Een ware must voor fietsers is de tocht van St-Aubin's Bay naar het groene hart van het eiland, die van dal tot dal langs talloze – heel verschillende – historische bouwwerken voert en hen uiteindelijk weer terugbrengt naar de baai. De tocht vergt ongeveer een halve dag.

Op de promenade langs St-Aubin's Bay, parallel aan de A 2 en circa 3,3 km achter St-Helier, begint bij Beaumont kort voor het **Gunsite Café** de tocht op de plek waar fietsroute 4 ('Sandybrook/St John') afbuigt. Bij het voetgangersstoplicht kunt u de drukke vierbaans-A2 moeiteloos oversteken; kies daar vervolgens het grindpad – een voormalige *perquage* (zie blz. 10) – dat tussen de weilanden door naar Sandybrook voert.

In het dal van de molens

Borden verwijzen in Sandybrook naar **Tesson Mill** 1, een historische, vier verdiepingen tellende molen in **St-Peter's Valley**, waar nog tot in 1960 met behulp van waterkracht graan werd gemalen. Langs de nonconformistenkapel Tesson Chapel gaat de route even over de weg, in de richting van de Jersey War Tunnels. Kort daarop passeert u een **blikken schuur** 2. Hier worden de showwagens voor de **Battle of Flowers** gebouwd en in de nacht voor het grote bloemenfestijn met eindeloos veel bloemen versierd voor het corso.

Jersey onder het hakenkruis

Kort daarop worden de **Jersey War Tunnels** 3 al aangegeven en moet er even flink geklommen worden. De Duitse bezetter blies hier in de rotsen een gangenstelsel uit. De 1 km lange tunnels, die een constante temperatuur hadden van 10-13 °C, werden gebruikt als opslag voor wapens en brandstof, en korte tijd zelfs als ondergronds ziekenhuis. Duizenden dwangarbeiders moesten hier 6000 ton steen verplaatsen. In de tentoonstelling over de Duitse bezetting van het eiland komen onder meer evacuees aan het woord en worden onderdrukking, censuur, collaboratie en verraad belicht.

Multimediale geschiedenis

Het wordt tijd voor het steilste deel van de route. De schaduwrijke holle weg Charrieres Malorey slingert zich in haarspeldbochten naar boven. Waar de route op de Rue de la Fontaine St-Martin stuit, ligt de historische boerderij **Morel Farm** 4, beheerd door de National Trust. De boerderij heeft twee ronde portalen: een grote voor wagens, een kleine voor voetgangers. Op de Rue de la Fontaine St-Martin kunt u doorsteken naar **Living Legend Village** 5, waar de show The Jersey Story met allerlei effecten legenden, geschiedenis en fictie tot een historisch spektakel weet te verweven. Er ligt ook een midgetgolfparcours.

Verstilde dalen, landelijke idylle

Terug op Rue de la Fontaine St-Martin (u verlaat Route 4) gaat het omlaag, het dal in naar **Le Rât Cottage** 6. Werp op dit piepkleine huisje uit de 17e eeuw een discrete blik (privéhuis, dus geen toegang), houd links en volg kort Route 3 richting Victoria Village/Gorey. Deze kruist de drukke A10, waarna in het dal al het **Hamptonne Country Life Museum** 7 opdoemt. Dit openluchtmuseum met gebouwen die naar traditioneel ontwerp zijn gerestaureerd laat bezoekers kennismaken met het plattelandsleven van vroeger. Even klimmen en dan gaat het in de **Waterworks Valley** langs Jerseys drinkwaterreservoirs naar het dal.

Alternatief voor voetgangers en fietsers

Wandelaars buigen bij de zuidelijke kant van het eerste stuwmeer af, van de Chemin de Moulins in de mooie maar wat steile allee, naar **St Lawrence Church** 8 (bus nr. 25, 27).

Bezienswaardig onderweg

Jersey War Tunnels: Les Charrières Malorey, www.jerseywartunnels.com, mrt-nov. dag. 10-18, laatste entree om 16.30 uur, £ 10,90. Met café/restaurant.
Living Legend Village/The Jersey Story: La Rue du Petit Aleval, www.jerseyslivinglegend.co.je, mrt en nov. za.-wo. 10-17, laatste show om 16.30 uur; begin apr.-eind okt. dag. 9-17 uur, £ 7,50. Informatie in meerdere talen via koptelefoon (geen Nederlands). Café, restaurant, pub, winkel, midgetgolf, mooie tuin.
Hamptonne Country Life Museum: Rue de la Pulente, www.jerseyheritage.org, schoolvakanties (Pasen, eind mei/begin juni, juli, aug., tweede helft van okt.) dag.10-17 uur, £ 7.
Morel Farm en **Le Rât Cottage** zijn alleen geopend op Heritage Day (begin sept.)

Een schilderachtige aanblik: de jachthaven van St-Aubin

Overnachten

Room with a view – **Hotel Cristina:** Mont Felard, tel. 01534 49 19 11, www.cristinajersey.co.uk Modern viersterrenhotel op de helling (steile rit!) met mooie, handig ingerichte kamers, de meeste met uitzicht op St-Aubin's Bay; ruim tuinterras en zwembad, 2 pk £ 59-138, meeste kamers met blik op zee.

Goed verzorgd aan de haven – **Somerville Hotel:** Mont du Boulevard, tel. 01534 74 12 26, www.somerville-jersey.co.uk. Historisch Victoriaans hotel, prachtig gelegen boven de haven van St-Aubin, met terrastuin. De meeste van de 56 kamers bieden uitzicht op de haven; er zijn ook kleinere eenpersoonskamer zonder zeezicht, vanaf £ 69, 2 pk vanaf £ 79.

B&B met charme – **St Magloire Guest House:** La Rue du Crocquet, tel. 01534 74 13 02, www.stmagloireguesthouse.com Deze B&B is gelegen in de oude dorpskern van St-Aubin aan de rustige zijde van een steegje met rustieke kinderkopjes. Alle twaalf kamers met eigen douche/wc, sommige met uitzicht op de baai; £ 25-45 pp voor een tweepersoonskamer.

Mooi verscholen – **Olanda Guest House:** La Rue du Crocquet, tel. 01534 74 25 73, www.olandaguesthouse.com Deze kleine, eenvoudige B&B ligt heel rustig, boven op de heuvel in een stil straatje, 2 pk £ 50-70.

Eten en drinken

Interessant sloepje – **The Boathouse:** 1 North Quay, tel. 01534 74 71 41, www.theboathousegroup.com, dag. 11-23 uur. Gerechten ca. £ 10-25. Goede keuken, met onder meer variaties op klas-

siekers, maar ook originele, moderne creaties, gecombineerd met een gezellige atmosfeer in de bar en een heerlijk uitzicht vanaf de veranda op het havenbekken ernaast.
Werelds – **Danny's:** St Aubin's Harbour, tel. 01534 74 73 06, www.dannys.je, di.-do. 17.30-21.30, vr., za. 11-14.30, 17.30-21.30, zo. 12-15 uur. Bistro met binnentuin vol bomen en een kok die graag leentjebuur speelt bij keukens uit de hele wereld, bij voorkeur met lokale producten.
Historisch decor – **Old Court House Inn:** The Bulwarks (aan het einde van de kaai), tel. 01534 74 64 33, www. old courthousejersey.com, dag. 12.30-14.30, 19-22 uur. Vis- en zeevruchtenspecialiteiten als Dover sole en Jersey plaice in de pittoreske setting van een oud koopmanshuis; gezellige pub, lunch £ 12-16, diner £ 25-30. Ook overnachtingsmogelijkheid (£ 90-130 2 pk).

Winkelen

Originele souvenirs – **Harbour Gallery:** Le Boulevard (aan de kaai, maar in tweede rij), www.mnlg.com, dag. 10.30-17.30 uur. Een bijzondere galerie met allerlei soorten kunst, van olieverfschilderijen tot ongebruikelijke driedimensionale werken. Het wordt bestierd door een groep plaatselijke kunstenaars dat zo onafhankelijke kunstprojecten wil stimuleren, o.a. voor gehandicapten.

Uitgaan

Gezellige pub – **Tenby Bars:** The Bulwarks (aan het begin van de kaai), tel. 01534 74 12 24. Traditionele pub met dito keuken (rond £ 8). Terras met uitzicht op de jachthaven – bij mooi weer ideaal.

Sport en activiteiten

Fietstochten en -verhuur – **Jersey Cycletours:** langs de Corbière Walk, in oude treintunnel, www.littletrain.co.uk, apr.-juni en sept., okt. dag. 's ochtends, juli/aug. tot 16.30 uur. Fietsverhuur £ 12,50 per dag, £ 49 per week.
Watersport – **Jersey Sea Sports Centre:** La Haule Slip, tel. (mobiel) 077 97 73 81 80, www.jerseyseasport.com. Pasen-sept. 9.30-17 uur. Gerenommeerde waterskischool met verhuur van uitrustingen, speedboattochten en banana-boatverhuur vanaf £ 21 voor drie personen.

Verkeer

Bus: van St-Helier naar St-Aubin lijn 12, 12a, 14 en 15 (richting vliegveld) alsook de blauwe lijn.

St-Brelade ▶ M-N 22-23

St-Brelade's Bay met zijn promenade met palmen en fijn zand is een prima uitvalsbasis voor watersporters. Het lange, glooiende zandstrand maakt St-Brelade's Bay populair bij gezinnen met kleine kinderen; ook in het weekend is dit een geliefde plek.

Aan de westzijde van de baai staat het oudste bewaard gebleven godshuis: **Fisherman's Chapel** (12e eeuw), met ernaast **St Brelade's Parish Church** ▶ N 23. De kerk kwam vermoedelijk voort uit een gebedshuis dat in de 6e eeuw werd gesticht door de Ierse missionaris Brendan. De naam Brelade zou ook tot hem terug te voeren zijn. De fresco's in de kapel dateren uit de veertiende en 15e eeuw. De weg van de kerk naar het strand wordt wel de kortste *perquage* van het eiland genoemd (zie blz. 10). Maar het valt te betwijfelen of de weg onder de bogen er ooit toe diende veroordeelden te helpen vluchten. De doorgang naar het strand werd pas in de 19e eeuw bij de verbouwing van de kerk gecreëerd.

Overnachten

Wonen in een toren – **Radio Tower:** www.jerseyheritage.org, Heritage Holiday Lets (zie ook blz. 17). De in 1942 door de Duitsers opgetrokken betonnen toren is niet alleen een blikvanger bij La Corbière, maar kan zelfs gehuurd worden, compleet met geweldig uitzicht vanuit de glazen koepel. Stijlvol ingerichte luxeappartementen voor maximaal zes personen, vanaf £ 1000 per week.

Luxe – **L'Horizon:** La Route de la Baie, tel. 01534 74 31 01, www.handpickedhotels.co.uk/lhorizon. Een van de beste hotels op Jersey (4 sterren), met heerlijk uitzicht over een even heerlijke baai – onovertroffen. Luxe voor de kenner in 106 kamers; elk denkbaar comfort met verwarmd zoutwaterzwembad en een spa, £ 109-280 2 pk. Uitstekend Ocean Restaurant (zie onder).

Puur comfort – **St Brelade's Bay Hotel:** La Route de la Baie, tel. 01534 74 61 41, www.stbreladesbayhotel.com Hotel met 79 kamers, dat in 2011 gerenoveerd is en werd voorzien van geheel nieuwe fitnessruimte; een comfortabel en elegant verblijf direct aan de baai, met twee zwembaden, sauna en een mooie tuin; 2 pk (standaard) £ 140-344 (suite).

Strandhotel – **Golden Sands Hotel:** La Route de la Baie, Tel. 01534 49 19 11, www.goldensandsjersey.co.uk. Kindvriendelijk strandhotel, kamers met balkon met prachtig uitzicht, en doelmatige inrichting, 2 pk £ 79-149.

Eten en drinken

Stijlvol – **Oyster Box:** St Brelade's Bay, tel. 01534 74 33 11, www.oysterbox.co.uk, di.-za. 12-15, 18-21 uur, zo. alleen lunch. Trendy met natuurlijk vooral veel oesters, en wel uit de Royal Bay of Grouville. Ook hier veel lokale producten; het publiek is jong en welvarend, £ 20-25.

Voordelig seafood – **Crab Shack:** St Brelade's Bay, tel. 01534 74 46 11, www.crabshackjersey.co.uk, di.-za. 10-20.45, ma., zo. 10-14.45 en 17.45-20.45 uur. Uitstekende service, geweldige Fish'n'Chips voor circa £ 11, of verse Jersey Crab en ander lekkers uit zee, vlot geserveerd, met uitzicht op de baai.

Tuincafé – **The Poplars Tea Room:** La Moye, St Brelade. Dit tuincafé ligt goed verscholen in het zuidwesten van het eiland, enige kilometers van de baai. De Bisson-zusters bakken zelf. Zoek in de tuin een plekje onder de meer dan 100 jaar oude vijg, die in augustus haast bezwijkt onder de verse vruchten. Honing uit eigen imkerij. Cream Tea £ 7,25. Koffie en verschillende theesoorten; ook lekkere kruidenthee.

Sport en activiteiten

Watersport – **Surf'n'Sun Watersports:** St-Brelade's Bay, www.surfandsun.co.uk Verhuur van zeekajakken, wakeboards en tochtjes met de speedboat.

Te land en ter zee – **Absolute Jersey:** tel. (mobiel) 07797 73 64 11, www.absolutejersey.co.uk Verhuur van zeekajakken, coasteering, waterski, abseilen, tochtjes met de speedboat.

Golf – **Les Ormes Golf & Leisure Club:** Mont à la Brune, St Brelade (naast het vliegveld), tel. 01534 49 70 00, www.lesormesjersey.co.uk. 9-hole-golfbaan, fitnessstudio en tennishal.

Indoor – **Les Quennevais Sports Centre:** La Route des Quennevais (bij de Corbière Walk), tel. 01534 44 98 00, www.gov.je (steekwoord 'Leisure and entertainment, Sports'). Klein overdekt zwembad, fitnessstudio, squash en badminton, tennis enz.

Info

Bus: lijn 12 (via St-Brelade tot Corbière, rijdt om naar Portelet).

In de buurt

Jersey Lavender Farm ▶ N 22

Rue du Pont Marquet, St Brelade, tel. 01534 74 29 33, www.jerseylavender.co.uk, mrt.-okt. di.-zo. 10-17 uur, £ 3

Op de Lavender Farm worden etherische oliën gedestilleerd, met name – zoals de naam al doet vermoeden – van lavendel, dat in het zuidwesten van Jersey goed gedijt, en van rozemarijn. Naast lavendelvelden, die in juni en juli bloeien, is er ook een tentoonstelling te zien over de oliewinning en het destillatieproces.

Reg's Garden ▶ N 22/23

Badger's Holt, St. Brelade, tel. 01534 74 37 56, www.reg-garden.com, dag. 10-17 uur, donatie gewenst

Reg Langlois heeft bloeiende struiken en planten tot een harmonisch geheel aaneen gesmeed en hij stelt zijn privétuin graag open voor bezoekers. Reg's Garden herbergt zelfs een feeëntuin, een waterval en een vijver met koikarpers – absoluut ontspannend en de moeite waard.

Ouaisné Bay ▶ N 23

Het strand Ouaisné is populair bij jong en oud vanwege het mooie, zachte zand en de beschutte ligging; bij mooi weer kan het hier dan ook behoorlijk druk zijn. Boven de baai kan worden gewandeld door het heidelandschap van de Ouaisné Common, vol gaspeldoorn, een paradijs voor vogels. Vanaf de klippen hebt u uitzicht over de brede zandbaai St-Brelade's Bay en het dorp. Beide zijn te voet vanaf Ouaisné snel en gemakkelijk via trappetjes te bereiken.

Strandtent met extra – **Beach House:** Oaisné Bay, tel. 01534 49 86 05, www.theboathousegroup.com, apr.-half okt. dag 12-21 uur. Overdag dé plek voor gezinnen, 's avonds een chique uitgaansgelegenheid met een door glas omsloten terras aan het strand en een cocktail in de hand. Goede keuken, van tapas tot driegangenmenu, alles klassiek tot innovatief; hoofdgerechten vanaf £ 8.

Gezellige pub – **Old Smugglers Inn:** Ouaisné Bay, St-Brelade, tel. 01534 74 15 10, www.oldsmugglersinn.com. Een schattige oude, gezellig pub met een indrukwekkende keuze aan real ale, *stout*

Een verscholen paradijs – Beauport Bay is een echte aanrader

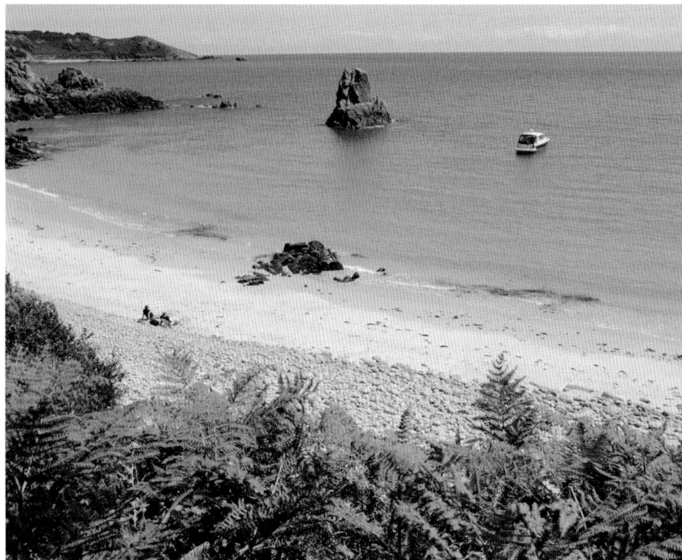

Corbière Lighthouse

Bij eb is de vuurtoren van Corbière (zie blz. 7, ▶ M 23) te bereiken via een ongeveer 700 m lang pad tussen de ruwe rotsblokken door. Voordat de hoogste waterstand wordt bereikt, klinkt als waarschuwing een sirene, die u in geen geval mag negeren – de vloed komt altijd sneller dan verwacht. Het licht van de vuurtoren, die in 1874 de eerste betonnen toren op de Britse eilanden was, reikt 27 km ver. Aan het begin van het pad (Causeway) herinneren twee verstrengelde handen aan een ongeluk dat zich in het voorjaar van 1995 hier voltrok, toen 900 m ten noorden van de toren een Franse veerboot tegen een rots voer. De ruim driehonderd passagiers konden echter uit het koude water worden gered.

en *porter*, en een stevige, traditionele keuken, £ 7,50-13,25.

Beauport ▶ N 23

Steile klifpaden en trap leiden van de parkeerplaats omlaag naar een kleine, verscholen zwembaai met prachtige roze granietrotsen. Het kost even moeite, en die moeite loont alleen bij beginnende eb. Andere wegen lopen parallel aan de kust en herbergen goede uitkijkpunten, onder andere richting St-Brelade's Bay (via Le Creux) en naar het westen richting La Moye en Corbière.

Noirmont ▶ O 23

Vanaf de parkeerplaats bij Noirmont Point kunt u te voet de eenzame, met heide begroeide landtong verkennen; daar staat nog een gerestaureerde, meer dan 10 m diepe en twee verdiepingen tellende **commandobunker** van de Duitse bezetter. Vanaf de toren hebt u met een verrekijker perfect zicht op Jerseys zuidkust (Channel Island Occupation Society, www.ciosjersey.org.uk, apr.-sept. zo. 11-16.30 uur, £ 2,50).

Portelet ▶ N-O 23

Een aftakking van de Route de Noirmont leidt naar Portelet. Tegenover de Old Portelet Inn kunt u via brede traptreden makkelijk omlaag naar een kleine baai; het is een van de mooiste van het eiland en heeft bij eb een zandstrand. In het midden van de beschutte, zandige baai troont op een bij eb toegankelijk eilandje de ruïne van een martellotoren.

Kindvriendelijke pub – **Old Portelet Inn:** La Route de Noirmont, boven Portelet Bay, tel. 01534 74 18 99, keuken open ma.-do. 12-20.30, vr., za, 12-21, zo. 12-20 uur. Ruime pub met allerlei gezellige hoekjes en plekjes; kindvriendelijk (speelhoek) en een goede, voordelige keuken die nogal grote porties serveert; £ 10-15.

St-Ouen ▶ M-N 20-23

St-Ouen's Bay ▶ M 20-23

Tussen de roze granietrotsen bij de vuurtoren La Corbière in het zuiden en de rotsmassa L'Etacq (4 blz. 52) in het noorden, beslaat de 6 km lange St-Ouen's Bay vrijwel de gehele westkust van Jersey: een breed wit strand met fijn zand, beschut door de omringende duinen, dat bij eb schier eindeloos lijkt en waar bij vloed enorme golven aan komen rollen – ideaal voor surfen en strandzeilen en voor een stevige wandeling. Voor een eerste blik op al dit schoons, is de parkeerplaats **La Pulente** een aanrader. In het zuiden van de baai rijst een gedrongen maar indrukwekkend martellotoren schilderachtig op uit het water. **La Rocco Tower** is bij eb te bereiken na een 600 m lange wandeling (let goed op het getijden-

④ Kustpad in het noordwesten – L'Etacq tot Grève de Lecq

Kaart: ▶ M–N 20, duur: 10 km
Vervoer: Vanaf St-Helier met bus 12a tot L'Etacq, terug naar St-Helier met bus 9 of de Blauwe lijn vanaf Grève de Lecq

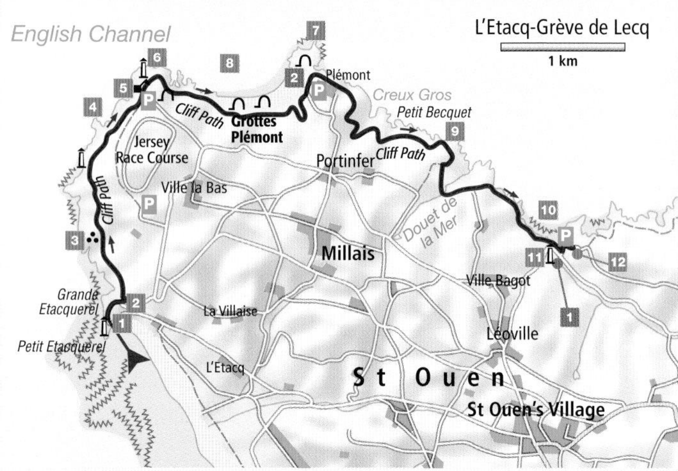

Het kustpad tussen Jerseys rotsige noordwestpunt L'Etacq en de zandbaai Grève de Lecq is geen gemakkelijke. Maar het geweldige uitzicht op de riffen voor de kust, de schuimkoppen op de golven, de vele zeevogels en de onder de kliffen gapende grotten zijn de moeite meer dan waard.

Hummerbunker en wereldoorlogbatterie

Vanaf het eindpunt van buslijn 12a in **L'Etacq** loopt u naar de **bunker** 1 uit de Duitse bezetting, die nu wordt gebruikt voor de opslag van Hummers. Bij de parkeerplaats bij de bunker volgt u de slingerende weg die kort omhoog gaat, waarna links het kustpad afbuigt.

Na een flinke klim komt u uit bij de **Batterie Moltke** 2 met een door de Duitse bezetter achtergelaten kanon. Kijk vooral even achterom en geniet van het prachtige uitzicht op de landpunt L'Etacqerel en de gehele breedte van St-Ouen's Bay.

In het voetspoor van de steentijd

De vegetatie is hier karig en wordt kleingehouden door de vaak krachtige wind; via een bed van heide en gaspeldoorn bereikt u **Le Pinacle** 3. Deze enorme, natuurlijke menhir maakte ook op de steentijdmens ongetwijfeld veel indruk. De gigantische steen steekt 70 m boven het landschap uit en vormt van de zeekant een natuurlijke bescherming voor de grassige laagte. Daar stond, zoals men uit bodemvondsten af heeft kunnen leiden, zo'n 5000 jaar geleden een neolithische steenbijlwerkplaats. De fundamenten van een Romeinse handelspost, die eveneens bij opgravingen aan het licht kwamen en die uit de 2e eeuw dateren, zijn ook nog te herkennen. Waarschijnlijk stond hier ook ooit een gebedshuis.

Pure land art

Iets verderop steekt een markante observatietoren uit de Duitse bezettingstijd uit het landschap omhoog. Het pad loopt via planken over vochtig moerasgebied. Tussen de heide en incidentele rotsblokken door voert de tocht langs een ontoegankelijke baai met adembenemend uitzicht op de kolkende zee en de bizarre rotsformaties van **Tête d'Ane** 4, die op gezichten lijken. Het graniet van dit ruwe gesteente kleurt bij laagstaande zon dieproze. Landinwaarts ligt de **Jersey Race Course**, die een paar maanden per jaar het toneel is van paardenrennen.

Décor voor een zonsondergang

Achter een laagte doemen de schilderachtige ruïnes op van een 14e-eeuwse burcht die gebouwd werd om Franse indringers tegen te houden: **Grosnez Castle** 5. Het complex wordt aan drie kanten omsloten door kliffen en was nauwelijks in te nemen. Grosnez Castle was halverwege de 16e eeuw al een ruïne. Wat overbleef van de spitsboogvormige ingang vormt een romantisch decor voor een zonsondergang. Hier hebt u goed zicht op de gevreesde Paternoster Rocks voor de kust; verderweg liggen de andere Kanaaleilanden, van links naar rechts Guernsey, Herm, Sark en (bij goed zicht) Alderney.

Met de noordwestelijke punt van het eiland, **Grosnez Point** 6 en de vuurtoren in de rug, gaat u op het klifpad aan de andere kant van de burchtruïne bij de parkeerplaats (halte van bus 8, ma.-za.) richting oosten.

Met de getijden mee

In de verte is al de opvallend kale rotsformatie **Tête de Plémont** 7 (Plémont Point) te zien met zijn vele grotten. Daar gaat de weg omlaag, tussen de dichte varens door, naar Plémont Bay.

De tocht omlaag naar de wonderschone **Plémont Bay** 8 is alleen zinvol bij eb. De baai staat bij vloed namelijk onder water en vormt dan een diep zwembekken dat alleen geschikt is voor geoefende zwemmers. Zwemmen kan hier afhankelijk van de windrichting en de hoogte van de golven behoorlijk gevaarlijk zijn. Aan de oostzijde van de baai liggen meerdere grotten; de westkant herbergt eveneens een grot, alsook een waterval waar het water van het klif omlaag stort. Pas hier goed op voor steenslag en kom niet te dicht bij de rand van de kliffen – regelmatig rollen hier delen van het instabiele gesteente omlaag. Wie achterkom kijkt, ziet nog het silhouet van Grosnez, de noordwestelijke punt van Jersey.

Overigens: de Paternoster Rocks (Pierres de Lecq), altijd omgeven door hoge schuimkoppen, liggen 6 km voor de kust. De gevreesde riffen danken hun naam aan het Onze Vader dat zeelieden volgens de overlevering hier baden, uit angst elk moment schipbreuk te kunnen leiden. Volgens een andere legende echter zijn bij deze Pierres de Lecq tussen Sark en Jersey als het stormt 'cri de la mer' te horen – het huilen van kinderen. In 1566 zonk hier een schip met de eerste tien kolonistengezinnen, die de seigneur van St-Ouen, Hélier de Carteret, uit Jersey naar Sark waren gevolgd.

Smokkelaarsgrotten

Het vervolg van het klifpad in de richting van Grève de Lecq herbergt twee keer achter elkaar een stevige klim en flinke afdalingen door diepe dalen. Na de eerste klim zijn eerst de **grotten** te zien waar men net overheen is gelopen; de meeste zijn alleen vanaf zee te herkennen. Ze vormden ooit geheime schuilplaatsen waar allerhande smokkelwaar werd verborgen; ze zijn vandaag de dag niet meer toegankelijk. Vanaf het pad leidt een zijweggetje naar de in zee gelegen rotsformatie **Grand Becquet** 9; het gaat eerst geleidelijk maar dan steeds steiler omlaag, tussen de varens door. De klautertocht wordt beloond met een prachtig uitzicht op Sorel Point in het oosten en Tête de Plémont in het westen.

Groene dalen en watervallen

Een derde keer voert de weg door een dal; dit keer wordt de beek **Douet de la Mer,** die als kleine waterval in zee uitmondt, via een houten brug overgestoken. Door een dichtbegroeid dal volgt het pad de loop van de beek via treden omhoog. Vervolgens gaat u langs een boerderij en tussen twee huizen door een stukje over de geasfalteerde weg en een brede straat, waar u weldra uitkijkt op de baai Grève de Lecq. De **Paternoster Rocks** zijn meermaals te zien. Erachter is het eiland Sark te herkennen, en bij goed weer ook Guernsey.

Zwembaai met uitkijktoren

Het klifpad brengt u bij een straat, die naast de Prince of Wales Pub/Apartments de **Grève de Lecq** 10 uitkomt, een beschutte baai en de enige in het noorden waar onafhankelijk van de getijden gezwommen kan worden, al is het strand bij eb wel erg groot. Midden op de parkeerplaats staat een **martellotoren** 11, ooit bedoeld om de Fransen tegen te houden. De toren laat weer eens zien hoe belangrijk de kust in militair opzicht was. In de **Grève de Lecq Barracks** 12, gebouwd in 1810 en tegenwoordig beheerd door de National Trust, is een infocentrum over de natuur en geschiedenis van de noordkust ondergebracht (www.nationaltrustjersey.org.je, mei-sept. wo.-za. 11-17, zo. 13-17 uur, toegang gratis, donatie £ 2). In de oude watermolen **Moulin de Lecq** 1 mogen de voetjes even rusten. Als de beek hoog genoeg staat, kan de molen – die teruggaat tot de 12e eeuw– aangedreven worden door het water.

Eten en drinken

In de molenpub **Moulin de Lecq** 1 schuiven bezoekers aan de bar en onder het oude tandrad aan. Grill-, vis- en steakspecialiteiten, real ale, bar food £ 5-10, restaurant met tafeltjes in de schaduwrijke molentuin, hoofdgerechten ca. £ 9-21 (tel. 01534 48 28 18, www.moulindelecq.com). De **Hummerbunker** 1 van Faulkner Fisheries in L'Etacq (ma. 8-13, di.-za. 8-17 uur) verkoopt gekookte mosselen en garnalen om mee te nemen. Het **Plemont Beach Café** 2 serveert tot 12 uur ontbijt en lekkere lunchgerechten; s' middags is een echte Jersey Cream Tea of koffie met taart een aanrader (dag. 9-17 uur, £ 5-15).

Tip voor de vermoeide wandelaar

De tocht kan ter hoogte van Grosnez Point na 3 km en in Plemont na 5 km worden afgebroken. Met bus 8 kunt u dan terugrijden (eindhalte bij de parkeerplaats, enkel ma.-za.).

Ton-sur-ton: roze armeria en rood graniet op Jerseys noordkust bij L'Etacq

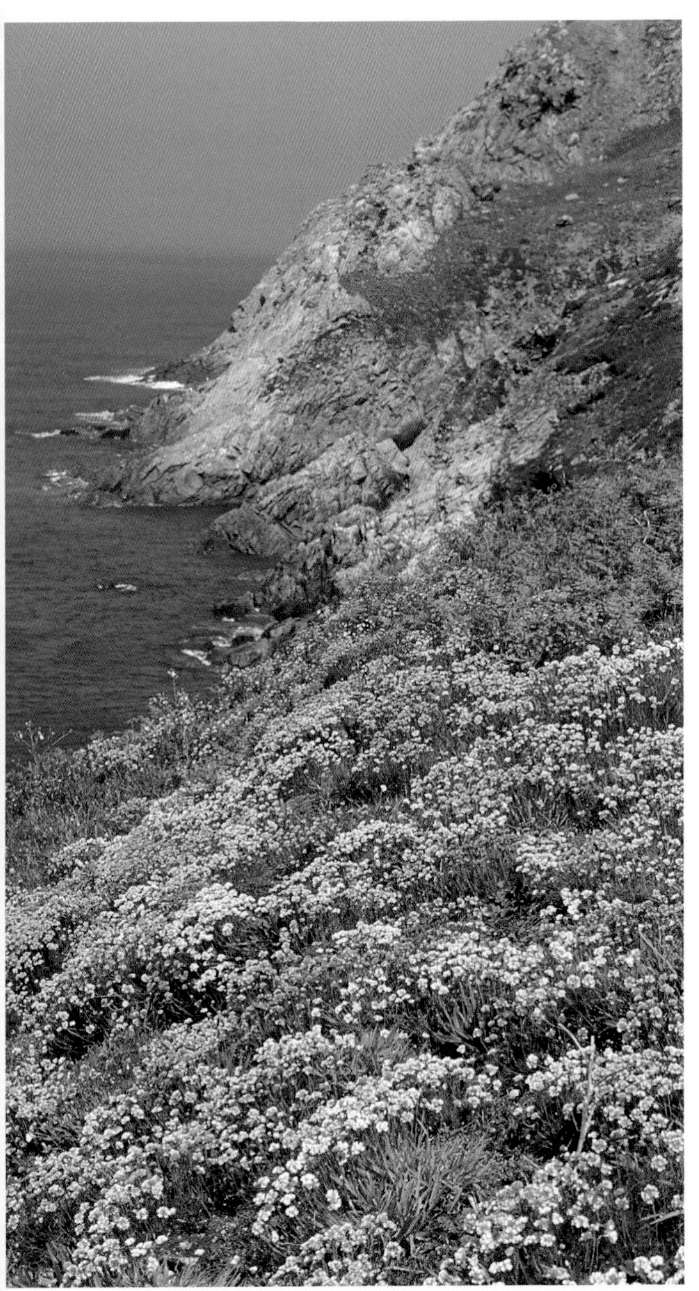

Zwemmen is in St-Ouen's Bay vanwege de sterke stroming niet ongevaarlijk. Neem in geen geval een duik bij terugtrekkende vloed!

plan!). Vanaf de parkeerplaats kunnen bezoekers te voet langs de kust naar het zuiden lopen. Tegen het schilderachtige décor van La Rocco Tower en de Corbière-vuurtoren is een zonsondergang hier de moeite meer dan waard. Boven de baai Petit Port zijn nog de karige resten te bewonderen van het oudste ganggraf op Jersey, dat luistert naar de naam **La Sergenté** (circa 3600 v. Chr.) .

Les Mielles ▶ M 21-22

In het duinlandschap van Les Mielles stuit de wandelaar op meerdere menhirs, zoals de inmiddels gerestaureerde **Broken Menhir** en een hunebed, **The Ossuary**. Hier groeien schijnkrokus en duinroos en kwetteren talloze grasmussen en leeuweriken. Het is te danken aan de inzet van gepassioneerde natuurliefhebbers dat dit landschap vandaag de dag beschermd is en dat de kenmerkende vegetatie weer tot bloei kon komen. Bijzonder interessant is het noordelijke deel met **St-Ouen's Pond**: het riet biedt watervogels ruime nestmogelijkheden. In de drasssige weilanden groeit de inheemse *Jersey Orchid*. Daarover komt u meer te weten in de **Kempt Tower** (begin apr.-okt. do., zo. 14-17, mei-sept. di.-zo. 14-17 uur, tel. 01534 48 36 51, toegang gratis). In de martellotoren is een informatiecentrum ingericht met een vaste tentoonstelling over de geologie, flora en fauna van het duingebied. Het wachthuisje dat u halverwege de baai ziet, **La Caumine à Marie Best** (of: Don Hilton) met zijn hagelwitte muren, wordt ook wel White Cottage genoemd. Het dient als oriëntatiepunt voor de zeevaart.

Channel Islands Military Museum ▶ M 21

La Grande Route des Mielles, tel. 07797 73 20 72, apr.-okt. dag. 10-17 uur, £ 4, bus 12a

In een voormalige Duitse bunker heeft een privéverzamelaar zijn schatten uitgespreid; toen de Duitse bezetting op het eiland ten einde liep, lieten de soldaten niet alleen wapens achter, maar ook allerlei gebruiksvoorwerpen die hier te bewonderen zijn.

Battle of Flowers Museum ▶ M 21

La Robeline, Mont des Corvées, tel. 01534 48 24 08, Pasen-okt. di.-vr., zo. 10-17 uur, £ 5, bus 8

De eigenaresse van dit kleine privémuseum heeft als veteraan al heel wat keren deelgenomen aan de talloze 'bloemenveldslagen' die elk jaar in augustus worden gehouden. Ze is gespecialiseerd in het maken van uiteenlopende figuren van droogbloemen, die in dit museum natuurlijk te bewonderen zijn. Een van de belangrijkste onderdelen daarvoor is de in het wild groeiende grassoort die hazenstaart wordt genoemd. De borstelige haren, die wel wat op een penseel lijken, worden in bonte kleuren en in enorme hoeveelheden tot grote stukken verwerkt.

Overnachten

Zelfstandig – **Discovery Bay Beach Apartments:** La Grande Route des Mielles, St-Ouen's Bay, tel. 01534 48 42 22, www.discoverybayjersey.com Ruim ingerichte moderne appartementen vanaf 2 personen, ook voor gezinnen. De Vista-Suite biedt vanaf het eigen balkon uitzicht op de baai; £ 448-1600 per week.

Overnachten in een tipi – **Bleu Soleil Camping:** Leoville, St Ouen, tel. 01534 48 10 07, www.bleusoleilcamping.com Vijftig ingerichte tenten, standplaatsen voor stacaravan, camper of de eigen tent, en verhuur van caravans en tipi's.

De tenthuurtarieven zijn afhankelijk van de grootte en het aantal volwassenen; bijvoorbeeld 2 volwassen in een vierpersoonstent £ 209-420 per week, caravanverhuur £ 300-700 per week, standplaats voor tent afhankelijk van het aantal personen van £ 14-37 per dag.

Eten en drinken

Surfsfeer en stevige kost – **El Tico Beach Cantina:** St Ouen's Bay, tel. 01534 48 20 09, www.elticojersey.com, 9.30-16, 17-20.30, zo. 9.30-16, 17-19 uur, circa £ 15. Beroemd (of berucht) om het overdadige Surfer-Breakfast. Specialiteit van het huis is Tony's Surf'n'Turf: *king prawns*, jacobsschelpen en steak. Houd rekening met wachttijden.

Winkelen

Sieraden – **Jersey Pearl:** www.worldpearl.com, dag. 9.30-17 uur. Interessante pareltentoonstelling; er worden kweekparels en allerlei soorten sieraden verkocht.

Sport en activiteiten

St-Ouen's Bay is dé surfplek van Jersey. Het deel van de baai waar veilig kan worden gesurft, is duidelijk op de muur aangegeven.

Surfen – **Jersey Surf School:** The Surf Shack, Watersplash, La Grande Route des Mielles, tel. 01534 48 40 05 en (mobiel) 077 97 71 60 55, www.jerseysurfschool.co.uk, apr.-okt. dag. 8-19 uur. Dit is de oudste surfschool van Jersey, met verhuur van uitrustingen (bijvoorbeeld hardboardverhuur £ 10 per dag), individuele lessen alsook cursussen voor het hele gezin; **La Neez Surf Centre:** www.laneezsurfcentre.com (naast El Tico Beach Cantina). Verhuur van uitrusting, etc.

Golf en ontspanning – **Les Mielles Golf & Country Club:** La Route de la Marette, St-Ouen's Bay, tel. 01534 48 59 84, www.lesmielles.net Grote 18-hole-baan in de duinen. Ernaast ligt **Les Mielles Fun Zone** met attracties voor kinderen, zoals een bungeetrampoline, glijbaan en Segway-rallys (apr.-sept. dag. vanaf 10 uur).

Verkeer

Bus: lijn 12a via St Aubin bis L'Etacq, lijn 8 naar Plémont via Grosnez.

St-Ouen's Village ▶ N 21

Bus 8, 9, 26, Rode en Blauwe lijn

De pompeuze entree van **St-Ouen's Manor**, een van de bewaard gebleven herenhuizen uit de Normandische tijd (het huis is privébezit en is niet te bezichtigen), passeert u op weg naar het dorp St- Ouen, in het binnenland. De zuidelijke toren en de kapel dateren uit 1480. **St-Ouen's Parish Church** in de pittoreske oude dorpskern vol interessante huizen, steekt boven de duinen uit. In de kerk leidt een trap naar de toren, waar

Hoe een kleine tuin groot kan zijn – op bezoek bij Judith Querée

Judith Querée laat mensen graag zien wat er van een kleine tuin te maken is. In het droge deel van de tuin rond haar piepkleine, 400 jaar oude cottage en in het vochtiger gedeelte eronder dat bij de beek uitkomt, groeien op zo'n 1000 m^2 circa 1500 plantensoorten – waaronder vijftig verschillende iris- en tweehonderd clematisvarianten, en exotisch ogende Nieuw-Zeelandse boomvarens. Ongeacht het jaargetijde bloeit hier altijd wel iets – al is het alleen al de bloementuin eromheen (Judith Querée, Le Chemin des Garennes ▶ N 21, Leoville, tel. 01534 48 21 91, www.judithqueree.com, mei-sept. volgens afspraak, £6).

de bewoners vroeger uitkijk hielden naar gestrande schepen in St-Ouen's Bay – en vooral naar wat die schepen allemaal wel niet verloren ...

St-Peter ▶ N-O 21-22

Ook al heeft **St-Peter's Valley** als een van de belangrijkste routes op het eiland behoorlijk te lijden onder het auto- en busverkeer, het blijft een van de mooiste dalen van Jersey. Langs idyllische, door heggen en muren omsloten weilanden en velden bereikt u het centrum van **St-Peter's Village**. De kerktoren van de gemeentekerk **St Peter's Church**, die vanwege de nabijheid van de luchthaven helaas getooid is met een grote rode lamp, is met zijn 37 m de hoogste van de Kanaaleilanden.

Moulin de Quétivel ▶ O 22

Mei-sept. za. 10-16 uur, £ 2, bus 26 (dag.) en 8 (enkel ma.-za.)

Deze watermolen, die gerestaureerd is door de National Trust, voegt zich schilderachtig naar het omringende groene dal. Het voetpad dat bij de parkeerplaats begint, loopt langs de beek 500 m naar de molen, waar een tentoonstelling en een film over meel en het bakken van brood te zien zijn. Op sommige dagen wordt hier graan gemalen.

Eten en drinken

Gezellige pub – **Victoria in the Valley:** St Peter's Valley, tel. 01534 48 54 98, www.victoriainthevalley.co.uk, pub dag. 11-23, restaurant di.-zo. 12-14.15 en di.-za 18-23 uur. Aardige pub, waar 's avonds traditioneel Engelse, stevige gerechten worden geserveerd, zoals zelfgemaakte worstjes of *gammon steak* met spiegelei, £ 9,25-14,95. Alle hoofdgerechten zijn ook als halve porties te bestellen.

Info

Bus: lijn 9 (richting Grève de Lecq).

St-Clement ▶ Q-R 23

Samarès Manor ▶ Q 23

La Grande Route de St Clement, tel. 01534 87 05 51, www.samaresmanor.com, begin apr.-half okt. dag. 9.30-17 uur, rondleidingen door het herenhuis ma.-za. 11.30 en 14.30 uur, £ 6,95, bus 1a (dag.), 18 (ma.-za.), groene lijn

Dit landgoed met herenhuis – naast Hotel Longueville Manor een van de weinige feodale huizen op het eiland die voor het publiek toegankelijk zijn – is een attractie voor het hele gezin. Kenmerkend voor Normandische herenhuizen is de ronde **duiventoren** (12e eeuw). Binnenin zijn allerlei nissen te herkennen die plaats boden aan talrijke duivenpaartjes. De jonge diertjes waren overigens bestemd voor de kookpot van de seigneur! U kunt in het Manor House (19e eeuw) een rondleiding krijgen.

Maar het mooist zijn de **tuinen.** In de kruidentuin, goed tegen de wind beschut door zijn hoge muren, gedijen circa 150 verschillende soorten kruiden. Ze zijn keurig in vierkante bedden aangeplant en er groeit van alles, van tijm tot citroenlavendel. Er zijn een weilanddoolhof, een Japanse tuin met karpervijver en een rotstuin (Rock Garden). Al die tuinen vormen een ware kleurenzee – en dat niet alleen als van april tot juni de rododendrons bloeien.

St-Clement's Bay ▶ Q 23

Bus 1

Ten oosten van de landpunt met het kleine eiland **Green Island** ervoor (ook wel La Motte genoemd en alleen bereikbaar bij eb) strekt zich 3 km lang St-Clement's Bay uit. Bij eb is het strand bezaaid met rotsen en riffen, zo ver het oog reikt. Bij vloed is dat alles opeens vrijwel volledig verdwenen en rest er niets anders dan een verraderlijke watervlakte (zie kader boven aan blz. 59).

Moonwalking op het strand

Zo moet het er ongeveer op de maan uitzien ... Wie zich bij eb op **St-Clement's Bay** begeeft, kan in de rotsige chaos snel verdwalen en zomaar het strand uit het oog verliezen. Dat is geen probleem als u op pad gaat met een van de lokale gidsen, die uiteenlopende wandeltochten aanbieden tot aan **Seymour Tower** ▶ R 24, een hoekige, typische Jersey-martellotoren. Hij dateert uit 1782, het jaar nadat Franse troepen bij **Platte Rocque Point** ▶ R 23 aan land kwamen. De Fransen wisten tot St-Helier op te rukken, waar het tot een bloedige slag kwam, bekend als The Battle of Jersey (zie blz. 42). Deze laagwaterzone is overigens een beschermd natuurgebied (Ramsar Site) en vormt een perfecte habitat voor bepaalde dier- en plantensoorten.

St Clement's Church ▶ Q 23

Buslijn 1a, Ringlijn 26, Groene lijn

Net als de andere parochiekerken op Jersey werd ook deze kerk oorspronkelijk gebouwd in de 11e eeuw; het huidige bouwwerk dateert uit de 15e eeuw. Tegen het einde van de 19e eeuw ontdekte men onder het stucwerk fresco's, die goed bewaard waren gebleven. Op de fresco's is onder meer aartsengel Michaël afgebeeld met de draak, alsmede de heilige Margareta en de heilige Barbara.

Overnachten

Feodale grandeur – **Longueville Manor Hotel:** Longueville Road, St-Saviour, tel. 01534 72 55 01, www.longuevillemanor.com Dit stijlvolle hotel is gehuisvest in een verbouwd en gerenoveerd herenhuis uit de 13e eeuw. Het is een van de meest verfijnde adressen op Jersey om te overnachten, met een perfecte en toch ook persoonlijke service; 2 pk £ 290-630, cottage-suite £ 840-1050.

Landelijk en zelfstandig – **Samarès Manor:** Samarès Manor, St-Clement, tel. 01534 87 05 51, www.samaresmanor.com Samarès herbergt drie vakantiewoningen en tevens drie cottages voor 3-8 volwassenen, plus 1-2 kinderen. Ze zijn ingericht in de voormalige remise en een aantal andere zijgebouwen op dit landgoed. Ideaal voor wie op vakantie graag zijn eigen gang wil gaan; £ 650-1720 per week.

Eten en drinken

Gedegen en chic – **Longueville Manor Restaurant:** zie Hotels. Eersteklas keuken met een duidelijk Franse insteek; lunchmenu voor circa £ 20 (tweegangen), £ 25 (driegangen) en diner tot £ 55.

Klein maar fijn – **Green Island Restaurant:** Green Island, St-Clement, tel. 01534 85 77 87, http://greenisland.je Reserveren is hier verstanding; in dit piepkleine Beach Café met uitzicht op zee worden heerlijke fusiongerechten geserveerd, vooral met zeevruchten en vis; hoofdgerechten £ 16,50-26.

Grouville ▶ R-S 22

Waar de A4 afbuigt van de kust en de **Royal Bay of Grouville**, passeert hij de golfbaan van de **Royal Jersey Golf Club**, die zich als gerenommeerdste van het eiland graag 'royal' noemt. Het bronzen beeld van een golfspeler herinnert aan Harry Vardon (1870-1937). Deze legendarische golfkampioen uit Jersey bedacht een heel eigen grip, die golfgeschiedenis zou schrijven.

La Hougue Bie ▶ Q 22

5 Blz. 60

5 Excursie naar de oudheid – La Hougue Bie

Kaart: ▶ Q 22
Vervoer: Buslijn 3a, 26

Het is het grootste steentijdgraf van de Kanaaleilanden: La Hougue Bie. Helaas gingen grafrovers de archeologen, die in 1924 met hun onderzoek begonnen, voor. Men gaat er vanuit dat het meer dan 5000 jaar oude graf in de oudheid een centrale gewijde plaats was.

Overal op de Kanaaleilanden struikelt men haast over bouwwerken van enorme stenen uit een vele duizenden jaren oude en nog altijd mysterieuze beschaving. De hunebedden – oorspronkelijk grote, rechtopstaande stenen met dekplaten erop, die schuilgingen onder een laag aarde – zijn meestal te vinden op heuvels of bij kliffen.

Vele werden in de loop der tijd verwoest door boeren die de obstakels niet op hun land wilden hebben, en door bouwers die niet beter wisten en in de enorme blokken handig bouwmateriaal zagen. Ook overijverige christenen, die deze 'heidense tempels' een doorn in het oog waren, droegen zogezegd hun steentje bij. Toch is in menig kerk een dergelijke 'hinkelsteen' opgenomen. Op Jersey zijn van de oorspronkelijk ruim zestig hunebedden slechts vijftien bewaard gebleven.

Geheimzinnige cultuur

De megalietbouwwerken zijn nog altijd een raadsel en elke nieuwe vondst kan zomaar de net vastgestelde chronologie in de war gooien. In de 19e eeuw beschouwde men de dolmen als druïdentempels; voor bijgelovigen was het een plek waar feeën kwamen dansen, en enige decennia geleden dacht men nog dat deze cultuur uit het Middellandse Zeegebied afkomstig was. Tegenwoordig weten we dat deze cultuur een zelfstandige ontwikkeling was in het noordwesten van Europa, die van de Atlantische kust van de Iberische schiereilanden tot aan Scandinavië zijn sporen heeft nagelaten. Over de betekenis van de bouwwerken – hadden ze een astrologische functie of dienden ze enkel voor het begraven van de doden – doen vele theorieën de ronde.

Uiteenlopende grafvormen

De **ingang van het neolitische ganggraf** 1 La Hougue Bie is zo laag dat u alleen gebukt de duisternis kunt betreden – een fascinerende ervaring. Aan de hoofdruimte liggen meerdere zijvertrekken; in totaal werden circa zeventig megalieten verwerkt in het ruim 20 m lange graf, het langste van alle eilanden. Hoe men dat ruim 5000 jaar geleden voor elkaar kreeg, is nog altijd een raadsel.

In de loop van de steentijd ontstonden verschillende grafvormen. De oudste vorm, het ganggraf, bestaat uit een lange gang met aan het einde de grafkamer, zoals we kunnen zien bij het uit circa 3600 v. Chr. daterende La Sergenté (zie blz. 56). Het zogeheten galerijgraf, met meerdere zijvertrekken aan een brede gang, kwam op rond 3500 v. Chr. – het grootste en mooiste voorbeeld hiervan is La Hougue Bie. Maar ook Le Déhus op Guernsey (zie blz. 100) valt in die categorie. De zogeheten kistgraven zijn jonger; dit zijn concentrisch aangelegde rijen stenen kisten, die vanaf ongeveer 2000 v. Chr. gangbaar waren.

Christelijke 'opbouw' en Duitse bezetting

Op de heuvel van deze 'heidense' plek werden vanaf de middeleeuwen twee kapellen opgetrokken,de **Notre Dame de la Clarté** 2 (12e eeuw) en de later aangebouwde **Jerusalem Chapel** 3.

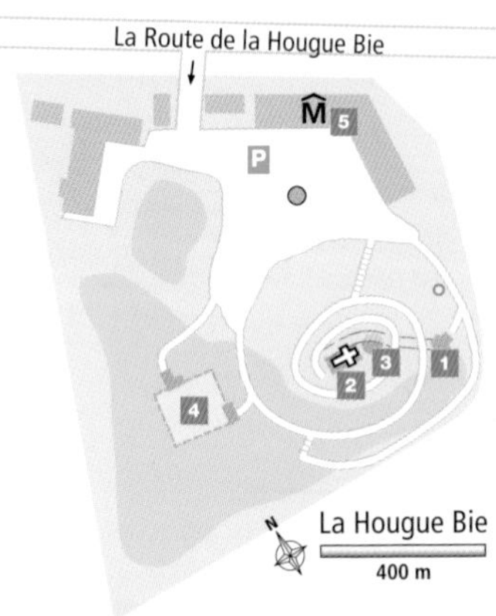

Het altaar met vijf ingewerkte kruisen werd in 1931 van Mont Orgueil Castle hier naartoe gebracht. Op de plafondschilderingen aan de oostzijde (16e eeuw) zijn aartsengelen te zien met tekstbanden in de hand. In de piepkleine crypte zou de eilanddeken Mabon in de 16e eeuw wonderen hebben verricht om pelgrims te lokken. Ook de Duitse bezetter vereeuwigde zich hier in de vorm van een ondergrondse **commandobunker (Communications Bunker)** 4. Zo vindt u hier een ware dwarsdoorsnee van de Jersey-geschiedenis, van de steentijd tot in de 20e eeuw.

En nog meer stenen ...

Meer informatie over deze bijzondere plek krijgt u in de film die hier wordt vertoond. Ook is een **Museum** 5 rond de geologie en vroege geschiedenis van Jersey ingericht, met archeologische vondsten als een jaden bijl.

Informatie

La Hougue Bie: La Route de la Hougue Bie, Grouville, www.jerseyheritage.org, apr.-okt. dag. 10-17 uur (laatste toegang om 16 uur), £ 7. Vergelijkbare bezienswaardigheden en de bijbehorende routebeschrijvingen kunt u vinden op **internet:** www.prehistoricjersey.net.

De **Faldouet-dolmen** ▶ R 22 ligt zuidelijk van de Rue des Marettes aan het einde van een door heggen omzoomde zijweg (vanuit Gorey via traptreden de heuvel aan landzijde omhoog, dan rechts verder landinwaarts). Het 15 m lange ganggraf dat oorspronkelijk schuilging onder een verborgen grafheuvel, is ruim 5000 jaar oud.

Gorey ▶ R 22

Buslijn 1, 1a, 1b, Blauwe lijn

Gorey Harbour, met zijn pastelkleurige huisjes langs de kaai, is Jerseys tweede haven en speelt vooral een rol in het verkeer met Frankrijk; ook nu nog varen incidenteel veerboten naar het Normandische Carteret (zie blz. 20).

Jersey Pottery ▶ R 22

Gorey Village, www.jerseypottery.com, ma.-za. 9-17.30, zo. 10-17.30 uur, toegang gratis, buslijn 1, 1a, 1b, Groene lijn

Bij Jersey Pottery wordt smaakvol, grotendeels met de hand vervaardigd keramiek geproduceerd en verkocht. U kunt meekijken hoe de producten worden gemaakt en beschilderd. Een klein museum informeert over de vroege jaren van dit ambacht op het eiland. In restaurant Spinnaker's wordt op de intieme binnenplaats een goede lunch geserveerd.

Mont Orgueil Castle ▶ R 22

6 Blz. 63

Overnachten

Luxe camping – **Beuvelande Camp Site:** La Rue de Beuvelande, St Martin, tel. 01534 85 35 75, www.campingjersey.com 'Glamping' *(glamour camping)* biedt alle voordelen van kamperen minus de nadelen – alles staat voor u klaar, als in een hotel. Overnachten in een volledig ingerichte tent kost £ 13-18 pp.

Eten en drinken

Betaalbaar seafood – **Restaurant Spinnaker's:** Jersey Pottery, Gorey Village, Grouville, tel. 01534 85 08 31. Dit zelfbedieningsrestaurant is hét adres voor verse vis en zeevruchten, maar ook voor betaalbare klassiekers als pasta, hamburgers of trendy wraps, £ 7-27.

Mediterraan – **Suma's:** Gorey Hill (kustweg), tel. 01534 85 32 91, www.sumasrestaurant.com, ma.-za. lunch en diner, zo. 12.30-14.30 uur. Moderne Britse keuken met een mediterraan accent, van vegetarische hoofdgerechten als haloumi met bulgur (£ 13,50) tot de minder vegetarische hele kreeft (£ 28).

Gastropub – **Castle Green:** La Route de la Cote (tegenover de ingang van Gorey Castle, halverwege), tel. 01534 84 02 18, www.castlegreenjersey.co.uk, ma. gesloten. Leuk ingerichte pub met een groot cocktailaanbod, een jong publiek en een prachtig uitzicht op burcht en baai. Het eten is hier prima en duidelijk beïnvloed door de internationale keuken; £ 10-16,50.

Scandinavisch goed – **Ingalill's:** 15 Gorey Pier, tel. 01534 84 06 78, www.ingalills.com, lunch in de zomer dag. 12-16, verder 12-21 uur. In dit restaurant, geleid door een Zweedse, kunt u op het terras genieten van een Toast Skagen of haring in drie verschillende uitvoeringen, of van andere Zweedse klassiekers, zoals de beroemde gehaktballetjes (klein £ 5,95, groot £ 10,95), of bijvoorbeeld Moules marinières (£ 5,95/ £ 9,95).

Sport en activiteiten

Exclusief golfen – **Royal Jersey Golf Club:** Le Chemin au Grèves, tel. 01534 85 44 16, www.royaljersey.com Gerenommeerde 18-holes-baan in de duinen met uitzicht op Gorey Castle.

Watersport – **Gorey Watersports Centre:** Longbeach, Grouville, tel. 077 97 81 65 28, www. goreywatersports.com Waterski, bananaboat- en motorboottochten (geopend in juli/aug.).

6 Een trotse burcht – Mont Orgueil Castle

Kaart: ▶ R 22, Oriëntatiekaartje: blz. 65
Vervoer: Buslijn 1, 1a, 1b en de Blauwe lijn

Mont Orgueil Castle is niet zomaar een middeleeuwse burcht – dit spannende labyrint, dat ook hedendaagse bezoekers fascineert, is het resultaat van 800 jaar bouwgeschiedenis. Het uitgekiende verdedigingssysteem achter de metersdikke muren verrast zelfs de grootste vestingkenner.

De middeleeuwen waren niet grauw maar bontgekleurd, en de burchten aan de buitenzijde vaak wit geverfd. De aanblik van deze indrukwekkende vesting deed Thomas, hertog van Clarence en broer van de Engelse koning Hendrik V (1387-1422) ooit 'Mont Orgueil!' ('Berg Trots' of vrij vertaald 'Trotse rots') uitroepen. Daarmee gaf hij de burcht, zo wil de legende, zijn naam. Maar Gorey Castle had meerdere namen. In de tuin, aangelegd op het terrein van de Outer Ward, zijn ze inclusief data in zwerfkeien uitgehakt .

Ten offer aan nieuwe technologie

Mont Orgueil ziet er misschien uit als een typische middeleeuwse burcht, maar in de loop der eeuwen heeft elk tijdperk er zijn eigen sporen nagelaten. De bouwgeschiedenis van de vesting is dan ook gecompliceerd. De burcht werd afgebroken, herbouwd, uitgebreid, gerenoveerd en gerestaureerd. Meest recent werden aan het begin van deze eeuw uitvoerige archeologische opgravingen doorgevoerd die meer licht op de historie wierpen. Al in de vroege steentijd vestigden zich hier mensen; in de ijstijd bevond zich zelfs al een heuse vesting op deze granietpunt, die zich ver in de baai van Grouville uitstrekt en aan de oostkant 45 m steil omlaag duikt. Het moeilijk begaanbare terrein en de erosie waren blijkbaar niet genoeg reden om af te zien van de strategische ligging met uitzicht op de baai van Grouville en de Franse kust, inclusief de ervoor gelegen Chausey-Eilanden – zo had men de

Overigens: niet alleen de tand des tijds, maar ook mislukte restauraties in de 20e eeuw hebben de burcht aangetast. Zo moest cementpleister worden verwijderd en vervangen door open kalkpleister, opdat de muren weer konden 'ademen' en de vochtproblemen die het modern pleister veroorzaakte, in de toekomst konden worden voorkomen.

vijand goed in het vizier. Tijdens de Honderdjarige Oorlog werd Mont Orgueil als onneembaar beschouwd; de beroemde Franse veldheer Bertrand du Guesclin probeerde in 1373 de concentrisch om de centrale donjon gebouwde burcht te belegeren – vergeefs.

Maar toen brachten veranderende oorlogstechnieken – waarbij van het schieten met pijl en boog werd overgestapt op het gebruik van kanonnen – Mont Orgueil in de problemen. Tegen de kanonskogels die werden afgevuurd van de tegenoverliggende Mont Nicolas waren deze muren niet bestand. Ze werden tevergeefs versterkt, en met de bouw in de 16e eeuw van Elizabeth Castle (zie blz. 41) aan de zuidkant van het eiland viel voorgoed het doek voor Gorey Castle als belangrijkste vesting van Jersey.

De burcht fungeerde voortaan als gevangenis. Jersey stond aan de kant van de koning en dit was een uitstekende plek om aanhangers van de parlementstroepen vast te zetten. Een van de bekendste politieke gevangenen was William Prynne, een tegenstander van de koning. Als straf voor zijn vermeende laster brandde men 'SL' *(seditious libeller* – lasteraar van de staat) op zijn wang.

Poort na poort

Een van de entrees tot de burcht leidt van het einde van de kaai via steile treden omhoog. Maar de officiële ingang, zowel vroeger als nu, is vanaf Castle Green over de ophaalbrug en door de eerste poort: **First Gate**. Deze wordt geflankeerd door de indrukwekkende **Harliston Tower** 1, die in de late 15e eeuw vanwege de omschakeling op artillerie werd opgetrokken; de toren werd vernoemd naar de eerste gouverneur van Jersey en vice-admiraal van de Engelse vloot, Richard Harliston. De entree werd door een muur beschermd tegen de **Outer Ward** 2, nu een van de tuinen. Voordat u door de tweede poort verder gaat en met de eigenlijk bezichtiging van de burcht kunt beginnen, moet u eerst een kaartje kopen.

Voorstadia van de macht

Vervolgens betreedt u de Lower Ward, ideaal excercitieterrein of Parade Ground, dat geflankeerd wordt door terrastuinen. Brede trappen leiden naar **Carteret Gate** 3 (poort nummer 3) met daarachter de **Carteret Garden** 4, aangelegd in renaissancestijl volgens het originele ontwerp van 1688, met rozen, lavendel en een moestuin. Via de **Iron Gate** 5, die zo heet vanwege het ijzeren beslag (ook wel Queen Elizabeth Gate genoemd) komt u bij de **Middle Ward** 6, waar de resten van de Tudor Chapel, die hier gestaan zou hebben, nauwelijks nog te herkennen zijn. De **Prison Tower** 7 herinnert aan de functie van de burcht als gevangenis.

In het hart van de vesting

In de Tudortijd werd een volledig nieuwe **Keep**, het hart van de burcht, gebouwd. Het materiaal voor de omvangrijke verbouwing was deels afkomstig van afgebroken kloosters, die onder Hendrik VIII waren onteigend. Zo kwam het lood voor de daken van Glastonbury Abbey in Somerset. Via brede trappen loopt u langs de imposante **Somerset Tower** 8 boven en tegenover het **Well House** 9. Elke burcht was aangewezen op een veilige en beschermde watervoorziening om bij een eventuele belegering stand te kunnen houden. Deze bron *(well)* was oorspronkelijk open, maar werd overdekt toen de Grand Battery kwam.

De klim naar deze 16e-eeuwse **Grand Battery** 10 is de moeite waard. Hier wappert de eilandvlag en hebt u mooi zicht op Mont Nicolas, dat na de omschakeling op artillerie het grootste probleem zou worden voor Gorey Castle. De muren van het bastion zijn in een speciale hoek opgetrokken, zodat kanonkogels niet door de muur heen gingen maar erop afketsten.

Bijzonder interessant: het met pek-erkers getooide **Cornish Bastion** 11 van 1547, dat gebouwd werd voor drie typen wapens. De drie verschillende soorten openingen maken het bastion geschikt voor zowel handwapens als voor twee soorten kanonnen.

Overigens: wie in Gorey Castle eenmaal boven is aangekomen, kan daarna eigenlijk nauwelijks nog de weg kwijtraken. Het lijkt misschien een doolhof, maar u hoeft alleen maar steeds omlaag ...

Panorama vanaf het dakterras

Nog verder omhoog komt u uit bij het dak van de Tudor Great Hall, die aan het begin van deze eeuw omvangrijk werd gerestaureerd. Hier kunt u over de hele baai uitkijken. Ook de drie wachttorens (Watch Towers) – een van de torens is achthoekig – profiteerden van dit panorama. Ze werden in de jaren '40 door de Duitse bezetter met beton verhoogd en ingezet als uitkijktorens.

Het vier verdiepingen tellende woongedeelte van de burcht, gebouwd in de tudortijd in de 16e eeuw, is te bereiken via weer een andere poort, **Mount Gate** 12. Opvallend is het fijne, grijze graniet dat voor de boog werd gebruikt en afkomstig was van de nabijgelegen Chausey-eilanden. In de **Tudor Great Hall** 13 resideerde vroeger de gouverneur, de belangrijkste man van het eiland, die hier zijn officiële ontvangsten hield. Tegenwoordig zijn in deze vertrekken thematentoonstellingen te zien van plaatselijke kunstenaars.

Informatie

Mont Orgueil Castle: www.jersey-heritage.org, begin apr.-eind okt. dag. 10-18 uur (laatste entree 17 uur), in de winter vanaf 10 uur tot de schemering. Volw. £ 10, gezinnen (4 pers.) £ 29.

Kunst en oorlog

In de Middle Ward springt de goed bewapende ridderfiguur in het oog; hij doet even de ridderromantiek herleven. Aan de andere kant is de imposante, 5 m hoge houten **Wounded Man** te zien, die laat zien welke risico's oorlogsvoering met zich meebrengt. Het zijn twee van de vele beelden in het Castle van hedendaagse kunstenaars.

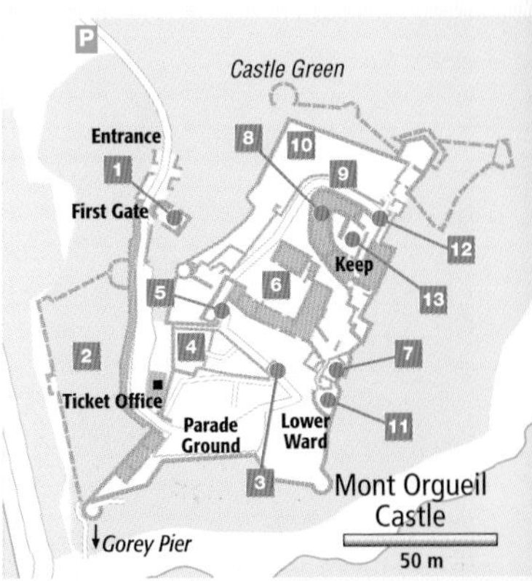

St-Catherine's Bay ▶ R-S 21-22

Archirondel Tower, gebouwd in 1794 en opvallend rood-wit geschilderd, is net als La Rocco Tower voor St-Ouen's Bay een van de laatste typische Jersey martellotorens, en bewaakt de uitgestrekte St-Catherine's Bay. Aan het begin van het victoriaanse tijdperk had hier een grote militaire haven moeten ontstaan als antwoord op de bouw van het Franse marinesteunpunt bij Cherbourg. De Écréhous-eilanden en de Normandische kust zijn hier gevoelsmatig bijna aan te raken. Na decennia druk gebouwd te hebben, liet men het plan uiteindelijk varen. Wat resteerde, was de in 1855 voltooide, ruim 1 km lange pier **St-Catherine's Breakwater** ▶ R-S 21 met vuurtoren, erg populair bij vissers en vogelaars.

Eten en drinken

Strandcafé – **Driftwood Café:** zuidzijde Archirondel Tower, dag. 9.30-17.30 uur. Ideaal als schuilplek bij een plotselinge regenbui, voor een kop thee en taart, of een sandwich; £ 5-10.

Op de pier – **Breakwater Café:** St-Catherine's Pier, 8-17 uur, zo. en ma. 's avonds gesl. Stevige kost, perfect voor wandelaars en vissers; £ 5-10.

Informatie

Buslijn 1b (tot St-Catherine's Bay).

In de omgeving

Jeffrey's Leap ▶ R/S 22

Zuidelijk van Anne Port Bay steekt het rotsmassief Jeffrey's Leap (Saut Goffroy) ver de zee in. De naam herinnert aan een gruwelijke middeleeuwse praktijk:

Jersey Cows zijn eigenijk altijd nieuwsgierig

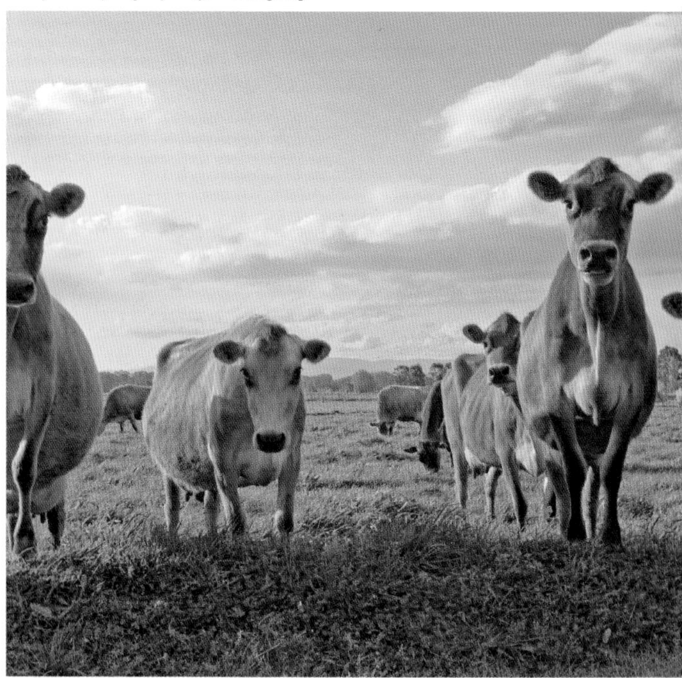

:er dood veroordeelden werden hier gedwongen de diepte in te springen. Wie de sprong overleefde, was een vrij man. Volgens de legende overleefde Jeffrey weliswaar de sprong, maar was zo hoogmoedig het nog eens te proberen – en die tweede poging werd hem fataal.

Het noorden

St-Martin ▶ R 21

Buslijn 3 (ook Rozel), 23, Groene lijn

De al in 1042 bekende **St Martin's Parish Church** is een van de oudste van het eiland. De basis van de kerk was de kapel, het huidige koor. Opvallend zijn de dikke steunberen aan de buitenkant, die uit de 16e en 18e eeuw dateren. Details als de gargouilles boven de ingang en de reliëfs op de zuid- en westzijde (boven het sacristieraam) zijn uit de tijd van de reformatie. De kerktoren werd meermaals door blikseminslag getroffen; hij werd voor het laatst – dit keer met bliksemafleider – gerenoveerd in 1837.

Dorpspub – **The Royal St Martin:** Grande Route de Faldouet, St-Martin, tegenover de kerk, tel. 01534 85 62 89. Dit is een gemoedelijke dorpspub met knappend haardvuur en een ruim aanbod bieren en stevige gerechten; T-Bone-Steak van het houtvuur £ 12, spareribs vanaf £ 8.

Rozel ▶ R 21

De piepkleine haven van Rozel is een goed beginpunt voor mooie wandelingen langs de kliffen (7 blz. 68). Vanaf het hunebed **Le Couperon de Rozel** volgt u de weg uit de baai circa 900 m in oostelijke richting. Voordat de weg op de heuvel een bocht naar rechts maakt, buigt links een voetpad af, dat via een idyllisch dal langs de rand van het klif uiteindelijk het schilderachtig gelegen galerijfgraf bereikt. Men vermoedt dat het graf ooit langer was; achttien stenen zijn bewaard gebleven.

Romantisch hotel – **Château La Chaire Hotel:** Rozel Bay, tel. 01534 86 33 54, www.chateau-la-chaire.co.uk Stijlvol onderkomen in een edwardiaans landhuis. Het huis is de moeite waard, met portretten op de overloop en interessant stucwerk in de *drawing room*. Mooie, zij het wat verwaarloosde tuin; 2 pk incl. cream tea £ 95-180. Betaalbaar avondeten (£ 15-20).

Camping – **Rozel Camping Park:** La Grande Route de Rozel, St-Martin, tel. 01534 85 52 00, www.rozelcamping.co.uk, half mei-sept., 1 km boven Rozel Bay landinwaarts gelegen. Eigen tent mogelijk, maar u kunt ook compleet ingerichte tenten huren; tevens campers; kampeerplaats £ 8,60-9 p. volw., tenthuur £ 275-387 per week voor 2 pers.

Crabbé Bay ▶ N 20

Het klifpad van Devil's Hole of Grève de Lecq leidt naar Crabbé Bay. Het **Ile Agois** wordt door een smalle maar diepe geul gescheiden van het land; de zee heeft hier een natuurlijke stenen boog uitgesleten. Overhangend gesteente rust op spectaculaire wijze op smalle rotszuilen. Op het eiland Agois zijn resten gevonden van prehistorische nederzettingen en een middeleeuwse kloostercel.

Devil's Hole ▶ O 20

Buslijn 27

Dit zogeheten 'duivelsgat' is een gat in het gesteente waar het water doorheen stroomt. Bij eb valt het droog, bij vloed wordt het weer met water gevuld. Bezichtig het bij voorkeur bij halve vloed – dan is het effect van het in- en wegstromende water en het gorgelende geluid dat dat maakt, het indrukwekkendst. Het uitzicht op de kliffen is spectaculair. Talloze grotten komen aan de andere kant uit in de baai **Les Reuses**. Op de weg omlaag van de pub The Priory Inn is in het meer een duivelsfiguur te zien. De geschiedenis achter dit verschijnsel:

7 Smokkelroutes in het noordoosten – Bonne Nuit Bay tot Rozel

Kaart: ▶ P 20–R 21, duur: 11 km
Vervoer: Van St-Helier buslijn 4 (ma.-za.) naar Bouley Bay en Bonne Nuit Bay, van/naar Rozel lijn 3 (dag.)

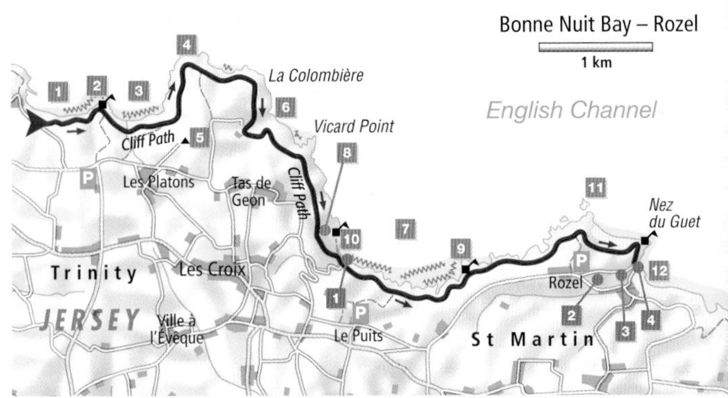

Dwars door de natuur, soms geholpen door wat kunstmatige traptreden, kronkelt dit pad omhoog en omlaag tussen gaspeldoornstruiken door en langs kromgegroeide eikenbomen, die een dicht bladerendak vormen. Wie even uit wil puffen, kan genieten van het prachtige uitzicht op de mooie baaien onder zich en de ver voor de ruige noordkust gelegen rotsriffen.

Op elke hoek een fort

In de door steile kliffen omzoomde **Bonne Nuit Bay** 1 zijn maar weinig huizen te vinden. Vanaf het eindpunt van de bus volgt u de weg een stuk in oostelijke richting en buigt dan links af op het *cliff path* richting Giffard en Bouley Bay. Laat de landtong **La Crête** 2 letterlijk links liggen; het gelijknamige fort van 1835 fungeerde als residentie voor de *lieutenant governor*, de vertegenwoordiger van de Engelse kroon op Jersey. Tegenwoordig kan het als luxeaccommodatie worden gehuurd (zie blz. 17).

En omhoog!

Erachter wachten **Giffard Bay** 3 en **Belle Hougue Point** 4 dat ver de zee in steekt. Het pad halverwege het klif is een van de mooiste panoramische routes van de noordkust, met prachtig uitzicht in de buurt van het hoogste punt van het eiland bij **Les Platons** 5 (138 m). Vervolgens gaat het omlaag naar een diep, bebost dal, waar een monument herinnert aan de landing van

Overigens: aan de rots van Le Cheval Guillaume (ook: Le Cheval Roc), die midden in Bouley Bay opstijgt, is een legende verbonden. Het versteende 'paard' *(cheval)* zou betoverd zijn door een watergeest…

een Britse boot in 1944 in de baai **Petit Port** 6. De geslaagde actie werd niet door de Duitsers opgemerkt en hielp de Britten aan informatie over de toestand op het eiland. Langs het wachthuis Wolf's Lair ('wolvenhol') gaat het omhoog in het dal en dan naar links, door het bos uit het dal omhoog naar de kale hoogte van Vicard Point.

De hond van Bouley Bay

Langs het pad ligt wederom een wachthuis, waarna het pad omlaag gaat naar **Bouley Bay** 7. De naam Black Dog Inn, die bij het Water's Edge Hotel hoort, herinnert aan de legende van de zwarte hond. Het strand loopt hier steil af en is vandaag de dag eerder een trefpunt van duikers dan van smokkelaars. In vroeger jaren waren smokkelaars dol op de eenzame Bouley Bay en de omliggende grotten. De legende van de grote zwarte hond met zijn vlammende ogen, *Le Tchan de Bouôlé*, kwam hen dan ook prima uit –zo konden ze ongestoord aan het werk. Volgens de legende zwierf het dier 's nachts rond over de kliffen.

De laatste 4 km van het pad tot aan Rozel beginnen naast het Water's Edge Hotel met een klimpartij door varens en met de blik omlaag naar het bij eb toegankelijke eiland in deze baai, L'Islet. Wie hier achterom kijkt, heeft uitzicht over de hele baai die geflankeerd wordt door twee vestingen. De ene is **Leicester Battery** 8 uit 1745, met een kleine pier in het westen; de andere is Fort Leicester, dat omgebouwd werd tot comfortabele vakantiewoningen (zie blz. 17). Bouley Bay heeft weliswaar het diepste en helderste water van heel Jersey, maar vanwege de ongunstige topografie kon hier geen grote haven worden gebouwd. De haarspeldbochtenweg op Bouley Bay Hill werd pas in de 19e eeuw aangelegd. In het oosten is al bijna de schilderachtige **Etacquerel Battery** 9 van 1786 te zien.

Omhoog, omlaag

Maar eerst gaat het pad nog dwars door de natuur en gaspeldoornstruiken, deels geholpen door traptreden, nog twee keer omlaag in het dal en twee keer omhoog, langs eiken en het bij **Etacquerel Fort** 10 behorende kruitmagazijn. Een blik achterom reikt tot Bouley Bay met het Water's Edge Hotel en de havendam.

Onderweg op het kustpad nabij Bouley Bay

Verbazingwekkend wat er allemaal in die kleine haven past: Rozel Harbour

Piepkleine haven: Rozel

U bent nu aangekomen bij de parkeerplaats op **Tour de Rozel** 11, dat op het noordoostelijkste punt van het eiland ligt. Vervolgens is het nog krap 1 km via veld- en asfaltwegen tot Rozel Bay wordt bereikt. Het kleine vissersplaatsje **Rozel** 12 ligt genesteld in een piepkleine baai, waar de boten bij eb op het zand belanden. De naam Rozel is overigens afgeleid van het Franse *roseau* (riet).

De pier is niet lang, maar biedt leuk uitzicht op de vissersboten en jachten die hier liggen. Het is bovendien een uitstekende plek om even uit te rusten bij de kiosk, in de Tea Room, in de tuin van **Chateau La Chaire** 2 of aan de bar van de pub **Rozel Bar and Restaurant** 3 die tegenover de bushalte ligt.

Racebaan Bouley Bay

De weg omlaag naar Bouley Bay telt vele haarspeldbochten. Incidenteel (met name half juli) wordt hij dan ook gebruikt als officieel motorsportcircuit.

Eten en drinken

De **Black Dog Inn** 1 in het Water's Edge Hotel met zijn ruwstenen muren en pluchen banken is enorm gezellig. Wie wat eleganter uit eten wil, kiest voor het hotelrestaurant (gerechten ca. £ 8-16). Boven Rozel is de tuin van het **Chateau La Chaire Hotel** 2 de ideale plek voor een cream tea (£ 4,50). **Rozel Bar and Restaurant** 3 is een echte *local,* een plek waar de plaatselijke bevolking graag komt. Uitstekende keuken met veel vis en lokale producten als *pork sausages;* er zijn echter ook duidelijk internationale invloeden te bespeuren in de vorm van bijvoorbeeld kipsatés. Hoofdgerechten £ 9,50-14,50 (www.rozelbarandrestau rant.co.uk). De kiosk **Hungry Man** 4 bij de haven voorkomt al meer dan 40 jaar dat bezoekers Rozel hongerig verlaten: burgers, fish'n'chips, garnalensandwiches en *bacon rolls,* met een hete thee of een koel drankje (zomers dag. 9.30-17.30, in de winter 10-14 uur, £ 8-10).

In 1851 strandde het Franse zeilschip La Josephine voor de rotsen en de grot die destijds Creux de Vis werd genoemd. De meeste schipbreukelingen konden worden gered, maar het boegbeeld van het wrak werd door de zee de grot in geslingerd. Deze figuur met drietand, hoorns en staart groeide uit tot een attractie. De huidige duivelsfiguur die u hier kunt zien, is een kopie.

La Mare Vine Estate ▶ O 20

St Mary, www.lamarewineestate.com, eind apr.-half okt. ma.-za. 10-17 uur, winkelentree gratis, rondleiding met wijnproeverij £ 8,25, buslijn 27 en de Rode lijn

Dankzij het milde klimaat op Jersey kunnen hier prima druiven worden verbouwd en met behulp van de modernste technieken tot lekkere wijn verwerkt. Een tentoonstelling op het wijngoed La Mare laat zien hoe dat in zijn werk gaat; bij de entreeprijs is een wijnproeverij inbegrepen. Naast wijn wordt hier ook appelcognac geproduceerd naar een Frans calvadosrecept, en een uitstekende appelcider (7,5%).

Durrell Wildlife ▶ Q 21

8 Blz. 72

Eric Young Orchid Foundation ▶ Q 21

Victoria Village, www.ericyoungorchidfoundation.co.uk, hele jaar wo.-za .10-16 uur, £ 4, buslijn 21 (ma.-za.)

In deze kassen worden prachtige orchideehybriden geteeld en tentoongesteld. Wie zich aan het kweken van orchideeën wil wagen, kan hier terecht voor vakkundig advies en inspiratie.

Pallot Steam, Motor & General Museum ▶ P 21

Rue de Bechet, Trinity, apr.-okt. ma.-za. 10-17 uur, £ 5, buslijn 25, 27, aansluitend een klein stukje lopen

Stoommachine-fanaat Don Pallot, die in 1996 overleed, zette op zijn eigen boerderij een klein privémuseum op met oude landbouwmachines en locs. Maar er is nog veel meer te zien, zoals modelauto's en oude naai- en maaimachines; hij bracht uiteenlopende technische apparaten bijeen, niet alleen uit de landbouw. De hoofdattractie van het Pallot Steam Museum is een rondrit met een echte stoomtrein, elke donderdag.

Bouley Bay ▶ Q 20-21S. 67

Buslijn 4 (ma.-za.)

Hotel aan het water – **Water's Edge Hotel:** Bouley Bay, tel. 01534 86 27 77, www.channelhotels.com/waters-edge-hotel Heerlijk dicht aan het water gelegen; restaurant; £ 42,50-77 pp in 2 pk; suites £ 135-200, ook zelfvoorzienend £ 675-1450 per week.

B&B aan het kustpad – **Undercliff:** Bouley Bay, tel. 01534 86 30 58, www.undercliffjersey.com Een origineel onderkomen, deels in een vroegere visserskapel; 13 kamers, waarvan sommige met blik op zee, £ 32-47 pp, ook halfpension of volledig zelfvoorzienend mogelijk.

Duiken – **Bouley Bay Dive Centre:** Tel. 01534 86 69 90, www.scubadivingjersey.com Deze duikschool (PADI 5-sterren) organiseert (dag)trips naar het heldere, diepe water van de baai.

St-John ▶ P-Q 20

Een aantal van de spectaculairste locaties van de noordkust van Jersey zijn te vinden in St-John's Parish, rond **Sorel Point**, de noordelijkste punt van het eiland. Indrukwekkende, schier eindeloze kloven als de **Wolf's Caves** ▶ P 20 en kliffen die haast 100 m omhoog steken. Ze zijn het makkelijkst te bereiken via het kustpad, vanaf Grève de Lecq of Bonne Nuit Bay.

Bonne Nuit Bay ▶ P 20

Zie blz. 68

8 Een tuin voor dieren – Durrell Wildlife

Kaart: ▶ Q 21
Vervoer: Buslijn 3a, 3b, 23, Groene lijn

In deze 'dierentuin' draait alles om het welzijn van de bewoners. Op Jersey leren lemuren en andere met uitsterven bedreigde diersoorten om zelf vruchten van de bomen te plukken en te schillen, opdat ze ooit weer op Madagaskar in het wild kunnen overleven.

De in 1995 overleden schrijver Gerald Durrell zette in 1963 een stichting op, die vandaag de dag Durrell Wildlife heet en inmiddels naar hem is vernoemd. De eigenaar van het landgoed Les Augrès Manor verpachtte destijds aan Durrell huis en land voor zijn project. Het doel: het fokken en uiteindelijk in het wild uitzetten van dieren die in hun eigen habitat met uitsterven worden bedreigd.

Als een vis in het water …

Bij de aanleg van dit 'park' werd veel aandacht besteed aan het natuurlijk gedrag en de behoeften van de dieren. Zo moeten zij hun voedsel elke dag zelf bi elkaar sprokkelen en leren bijvoorbeel zelf noten te kraken. Het verse voer i grotendeels afkomstig uit biologisch teelt op eigen terrein.

Durrell Wildlife weet spectaculair successen te boeken, maar het uitsterven van de soorten is alleen te stoppe door de dieren in beschermde gebieden uit te zetten. Dat vergt veel overtuigingskracht bij de inheemse bevolking of dat nu op Madagaskar of Mauritius is in India of Indonesië. Het onderzoeks centrum op Jersey leidt mensen op di over de hele wereld worden ingezet al beheerders van dergelijke gebieden, e de stichting ondersteunt wereldwijd natuurbeschermingsprogramma's.

De dierentuin wordt bewoond doo meer dan dertig bedreigde diersoorten Van het Visitor Centre met winkel gaa de wandeling langs **Kirindy Forest** 1 met onder andere ringstaartmaki's (afb boven). De geheimzinnige Aye-aye (vin gerdier) uit Madagaskar woont dicht bij het herenhuis **Les Augrès Manor** 2, thuisbasis van de stichting. Eronder wandelen roze flamingo's statig door het water. De nachtactieve lemuren zijn thuis in de **Lemur Woods** 3. Ertegenover bevolken enorme vleerhonden de **Fruit bat tunnel** 4.

Apenspel

Maar de ware sterren van de dierentuin zijn de mensapen. Bezoekers kunnen de acrobatische oefeningen in het **orang-oetan-** en **withandgibbon-huis** 5 goed volgen vanuit hutten aan de oever van het uitgestrekte waterlandschap. Misschien maakt u zelfs mee hoe de dieren in het **gorillahuis** 6 woest stoeien en rennen tot het alfamannetje hen tot de orde roept. Ertussenin ligt een speeltuin voor mensenkinderen – hebben de apen ook iets te lachen.

Geduld is een schone zaak

Het Zuid-Amerikaanse regenwoud is ook de thuisbasis van de brilbeer, de enige Zuid-Amerikaanse berensoort. De dieren delen hun **Cloud Forest** 7 met neusberen en brulapen *(howler monkeys)*. In het ernaast gelegen **reptielhuis** 8 woont onder meer de blauwe leguaan van de Kaaimaneilanden, die tot wel 1,50 m lang kan worden. **Discovery Desert** 9 is heel populair sinds de stokstaartjes (Eng. *meerkats)* gejongd hebben. De diertjes zijn razendsnel en verdwijnen vaak in hun tunnels; dus soms enig geduld ...

Informatie

Durrell Wildlife: Les Augrès Manor, La Profonde Rue, tel. 01534 86 00 00, www.durrell.org, Pasen-okt. dag. 9.30-18, anders 9.30-17 uur, volw. £ 12,90, kinderen vanaf 3 jaar £ 9,40.

Eten en drinken

Zeker een bezoekje waard is **Café Firefly** 1 (toegang zonder entree mogelijk, sandwiches max. £ 7, specials £ 10-15) met mooi terras. Op het dierentuinterrein kunt u terecht bij het **Dodo Café** 2.

Een bijzonder nachtje

Wie de nachtactieve dieren graag een keer in actie wil zien, kan de nacht doorbrengen in **Les Noyers Hostel** 1 (24 bedden op slaapzaal £ 25-35 pp incl. entree tot dierentuin). Er zijn ook tenten in safaristijl, **pods** 2 genoemd.

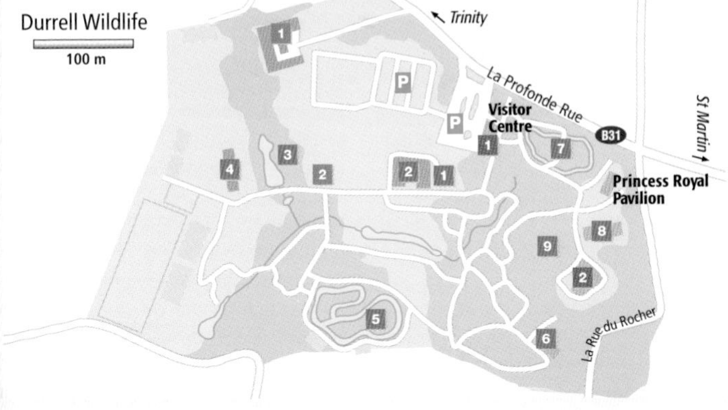

Guernsey

St-Peter Port ▶ D 12

Wie Guernsey per boot nadert, krijgt al bij het binnenvaren van de haven van St-Peter Port (ca. 16.500 inw.) een eerste indruk van de hoofdstad van het eiland, die terrasvormig tegen de steile rots genesteld ligt. Trappen en smalle steegjes, vaak nog geplaveid met kinderkopjes, ontsluiten de verschillende niveaus van deze havenstad.

In de haven

Op de rotonde markeren een klokkentoren in victoriaanse stijl en het **Liberation Monument** 1 de entree naar de haven. Boven de bankjes naast de klokkentoren herinnert een in steen uitgehakte uitspraak van Winston Churchill van 8 mei 1945 – *and our dear Channel Islands are also to be freed today* – aan het einde van de bezetting. Hier vielen in 1940 de eerste Duitse bommen. Een obelisk gedenkt deze luchtaanval, het begin van de bezetting van de eilanden.

Castle Cornet 2

Tel. 01481 72 16 57, www.museums.gov.gg, apr.-okt. dag. 10-17 uur, £ 6,50
De zuidkant van de haven wordt begrensd door de vesting Castle Cornet. Het was 600 jaar lang een eiland, tot het in 1859 met de bouw van de pier bij de haven werd getrokken. De geschiedenis van Castle Cornet begon in 1206, toen de Kanaaleilanden een strategisch belangrijke buitenpost werden tegenover het vijandelijke Frankrijk. Tijdens de Engels Burgeroorlog in de 17e eeuw, toen Guernsey zich aan de zijde van de republikeinen en Cromwell schaarde, hield de koningsgetrouwe eilandgouverneur sir Peter Osborne stand in Castle Cornet, dat als laatste bastion van de royalisten in 1651 viel. Vanaf 1660 fungeerde de vesting als gevangenis. John Lambert, Cromwells generaal, werd tot levenslang veroordeeld, een straf die hij deels in Castle Cornet doorbracht. Een blikseminslag in het kruitdepot in 1672 verwoestte bijna het hele complex. In de jaren '40 werd Castle Cornet door de Duitse bezetter versterkt – voor 'geval van nood', wat echter nooit het geval bleek.

Castle Cornet herbergt vier musea. In het voormalige kazernegebouw bij de ingang wordt in het **Story of Castle Cornet Museum** de geschiedenis van de burcht toegelicht, van de middeleeuwen tot en met de Duitse bezetting. In andere gebouwen zijn militaria tentoongesteld, zoals uniformen en documenten van het **201ste Eskadron** van de Britse luchtmacht en de **Royal Guernsey Militia**, de lokale troepenmacht. Wat u zeker niet mag missen: het **Maritime Museum**. Een film informeert over de restauratie van een Romeins handelsschip, dat gevonden werd in de haven van St-Peter Port. Er zijn vondsten uit het wrak te zien, evenals scheepsmodellen, allerhande documenten over de scheepvaart – ooit een belangrijke inkomstenbron voor de Kanaaleilanden – maar ook over de smokkelaars en vrijbuiters die hier actief waren. Pas in 1815 kwam een eind aan de praktijk dat met

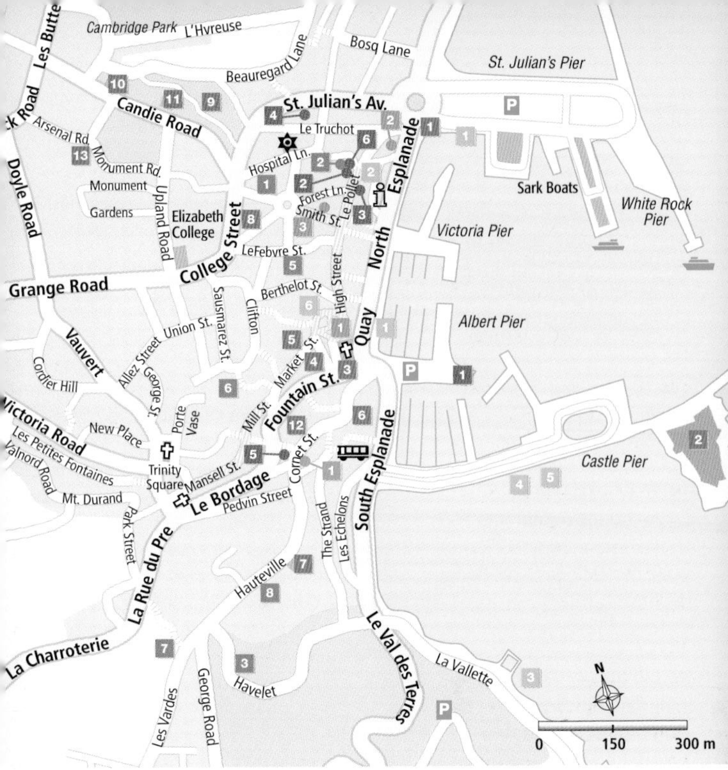

St-Peter Port

Bezienswaardigheden

1 Liberation Monument
2 Castle Cornet
3 Town Church
4 Markthallen
5 Guille-Allès Library
6 Victorian Shop & Parlour
7 Hauteville House
8 The Guernsey Tapestry
9 Candie Gardens
10 Priaulx Library
11 Guernsey Museum & Art Gallery
12 Mignot Plateau
13 Victoria Tower

Overnachten

1 Old Government House Hotel & Spa
2 Moore's Central Hotel met de Library Bar
3 Hotel de Havelet
4 The Clubhouse@La Collinette
5 Duke of Normandie Hotel
6 Sunnycroft Hotel
7 The Marton Private Hotel
8 The Pandora

Eten en drinken

1 Pier 17
2 Da Nello's
3 Christie's
4 The Swan
5 L'Escalier
6 Le Petit Bistro

Winkelen

1 Creasey's
2 The Guernsey Shop
3 Post Office

Uitgaan

1 Cock and Bull
2 The Dog House

Sport en activiteiten

1 Travel Trident
2 Guernsey Cycle Hire
3 La Valette Bathing Pools
4 Guernsey Sailing Trust
5 Dive Guernsey
6 Sail or Surf
7 Beau Sejour Leisure Centre

De koppige gouverneur liet ooit tijdens de burgeroorlog 10.000 kanonskogels vanaf Castle Cornet op St-Peter Port afvuren – daarin herinnert dagelijks om 12 uur het 'kanonvuur', natuurlijk zonder kogels. De ceremonie van Noonday Gun is een van de hoogtepunten van een bezoek aan de vesting.

een vrijbrief van de koning vijandige, veelal Franse schepen mochten worden opgebracht en geplunderd.

Town Church 3

Op het laagste punt van High Street, de voetgangerszone en winkelstraat waar het elke dag weer druk is, staat deze massieve kerk uit grijs graniet (circa 1475). Bij een geallieerde bomaanval werd in 1944 een groot deel van de ramen verwoest. Tegenwoordig hangen in de kerk de vlaggen van de Guernsey militie. De bisschopstroon, de kerkbanken met houtsnijwerk en de graftafels aan de muur maken deze Town Church tot een van de mooiste van de eilanden.

Marktplein

In de vroegere **Markthallen** 4 uit 1877 is nu een moderne winkelpassage gevestigd. De koperen bliksemafleider op het dak in de vorm van een tabaksplant is gelukkig bewaard gebleven. Ertegenover is in de oorspronkelijke vleeshal van 1782 de openbare bibliotheek **Guille-Allès Library** 5 ondergebracht, die alleen al vanwege het prachtige trappenhuis een bezoekje waard is. Tegen borg kan elke bezoeker er boeken lenen of op het internet surfen (ma., wo.-vr. 8.45-17.30, di. 10-17.30, za 8.45-17.15 uur).

Victorian Shop & Parlour 6

26 Cornet Street, www.nationaltrust-gsy.org.gg, Pasen-half okt., di.-za 10-16 uur, toegang gratis

Iets verderop in Cornet Street kunt u een blik werpen in een victoriaanse winkel. U vindt er souvenirs, ansichtkaarten en boeken over de geschiedenis, cultuur en natuur van Guernsey. Achter in het kleine winkeltje is een woonkamer (*parlour*) in victoriaanse stijk ingericht.

Hauteville House 7

9 Blz. 77

The Guernsey Tapestry 8

St James Concert and Assembly Hall, St James College Street, tel. 01481 72 71 06, www.guernseytapestry.org.gg, ma.-za. 10-16 uur, volw. £ 4,50, audioguide (Engels, Duits)

In een aanbouw van de in 1818 opgetrokken voormalige St-James Church – tegenwoordig concertzaal – vertelt een geborduurde beeldencyclus een deel van de officiële eilandgeschiedenis, die begon met de Noormannen. Het werk van kleurig wol- en parelgaren ontstond rond de eeuwwisseling en werd gemaakt door tien kerkgemeenten; elk nam een eeuw voor haar rekening.

Candie Gardens 9

Candie Road, dag. vanag 9.30 uur tot zonsondergang, toegang gratis

De weelderige, exotische pracht van deze tuin gaat schuil achter een muur langs Candie Road. Er gedijen botanische bijzonderheden als ginkgobomen en palmvarens, en er staat een kleine kas uit de late 18e eeuw – een van de oudste in zijn soort, oorspronkelijk bedoeld voor de druiventeelt. Binnenin staan typische 'omaplanten' als gardenia's, begonia's en vetplanten. In het voormalige woonhuis van de familie Priaulx, die het geheel inclusief Candie Gardens in 1887 aan het eiland schonk, is tegenwoordig **Priaulx Library** 10 gevestigd, een openbare bibliotheek met talloze publicaties en historische foto's rond de geschiedenis van het eiland.

9 In het spoor van Victor Hugo – Hauteville House

Kaart: ▶ Stadsplattegrond: blz. 75

Victor Hugo was niet alleen een succesvol schrijver ('De klokkenluider van de Notre-Dame', 'Les Misérables'), maar ook politiek vluchteling. Toen hij uit Frankrijk werd verdreven, vestigde hij zich op Guernsey. Hij kocht er een huis met uitzicht op het vaderland – en een hoogst persoonlijke inrichting.

Een moeilijk man

'Vulkanen spugen stenen uit, revoluties mensen. Zo worden gezinnen naar verre verten verdreven, menselijke geschiedenissen losgeweekt van hun vaderland...' Zo beschreef Victor Hugo het lot van de balling – en hij wist waarover hij het had. Een dag nadat Louis Napoleon op 2 december 1851 de macht had gegrepen – zijn neef riep zichzelf uit tot keizer en onthief het parlement uit zijn macht – werd een arrestatiebevel uitgevaardigd tegen de republikeinsgezinde dichter. Hugo vluchtte via Antwerpen naar Londen en later naar Jersey. Hier vormden de Proscrits ('de verbannenen') de grootste groep van circa driehonderd politieke vluchtelingen, die de revoluties van de jaren 1848 op het continent hadden 'uitgespuugd': Polen, Duitsers, Oostenrijkers, Italianen. Maar voor de inwoners van Jersey, die van oudsher de Engelse troon aanhingen, was de maat vol toen diezelfde Proscrits koningin Victoria begonnen te kritiseren. Een van de aanstichters van de kritiek die het eiland moesten verlaten, was Victor Hugo. En zo stapte hij met zijn zoon François-Victor in oktober 1855 op de boot naar St-Peter Port. Guernsey beviel de schrijver zo goed, dat hij er 15 jaar bleef en er een huis kocht.

Droomhuis van een kunstenaar

Toen hij Hauteville House kocht, was Victor Hugo 53 jaar oud, en het was zijn eerste eigen huis. Dankzij de inkomsten van zijn gedichtenbundel 'Les Contemplations' kon hij de schulden op het huis snel terugbetalen. Hugo was niet alleen een schrijver met een sterke politieke interesse, maar was ook tekenaar, schilder en binnenhuisarchitect. Hij liet het huis, dat in 1800 gebouwd werd voor een vrijbuiter, naar eigen ontwerp ombouwen voor hem en zijn gezin – naast echtgenote Adèle ook volwassen zonen en dochters – en inrichten. Hauteville House groeide beetje bij beetje uit tot een totaalkunstwerk. Het is sinds 1927 in bezit van de stad Parijs en is in oorspronkelijke toestand bewaard gebleven.

De wereld van Monsieur Hugo

Victor Hugo was gefascineerd door de middeleeuwen en kon het niet laten in de entree van het huis de met bizarre sculpturen getooide gotische entree van de Notre-Dame de Paris na te bouwen. Overal stond donker eiken en elke hoek werd met prullaria gevuld. De **China Corridor**, gelegen naast de entree, is niet alleen tot aan het plafond volgestouwd: zelfs het plafond werd voorzien van decoratieve voorwerpen, zoals borden en deksels van soepterrines. Hugo was een enthousiast verzamelaar van oude meubels, of het nu kerkinventaris of een eiken kist was, als het maar origineel en exotisch was.

De **Tapestry Room** wordt vanwege de donkere, eiken lambrisering ook wel de 'eiken kathedraal' genoemd; aan de muren en de plafonds hangen wandtapijten uit de 18e eeuw. Hier kwam het gezin bijeen en nodigden de Hugo's vrienden en familie uit. Erachter ligt de **studio** of rookkamer, die dankzij de hoge vensters naar de tuin wel een beetje op een veranda lijkt. De eetkamer of **Dining Room** valt op door de tegelmuren met Delftsblauwe tegels die gemaakt werden naar ontwerpen van Hugo. De opschriften op de eveneens betegelde haardmuur zijn natuurlijk ook van zijn hand en werden afgemaakt met een drievoudige 'H' – voor Hugo en Hauteville House.

Zo donker en somber als de benedenverdieping is, zo bont en weelderig zijn de woonkamers op de eerste verdieping: de **Red Drawing Room** in rood damast en goud, en de **Blue Drawing Room** in goud en blauw. Spiegels en chinoiserieën, zijden behang en enorme kandelaars zorgen voor exotische pracht. Openslaande deuren leiden naar de oranjerie, met een prachtig uitzicht op de haven.

Wachten op Garibaldi

Hugo had een voorliefde voor spiegels – inclusief lachspiegels, zoals in het trappenhuis te zien is. Langs zijn gangbibliotheek – op weg naar de tweede verdieping staan achter glas klassiekers uit de Franse literatuur, lexica en historische werken dicht opeen gepakt – komt u bij de **Oak Gallery** met beschilderde eiken deuren en panelen, en door Hugo ontworpen eiken kandelabers met apostelen en draken, die overigens maar korte tijd als belichting hebben gefungeerd. Vanuit de Gallery betreedt de bezoeker via deuren die geflankeerd worden door twee gedraaide zuilen **Garibaldis Room**. Deze slaapkamer was gereserveerd voor Giuseppe Garibaldi, die Hugo's uitnodiging om naar Guernsey te komen overigens nooit aannam. Hugo koesterde veel sympathie voor de revolutie in Italië en onderhield een hartelijke correspondentie met de vrijdheidsstrijder. Boven het gigantische bed zweeft een eiken hemel, gedragen door vier gedraaide zuilen en gemaakt van panelen die bijna gebukt gaan onder het overdadige houtsnijwerk.

Dichten onder het dak

Via een smalle trap komt u in het heiligste der heilige, de **Lookout**, een glazen ruimte op het dak. Hier hebt u een prachtig uitzicht over zee, tot aan Frankrijk evenals tot Hauteville nr. 20, waar Victor Hugo zijn geliefde Juliette Drou-

Tuinzijde van Hauteville House, onveranderd sinds Victor Hugo er woonde

et onderbracht. Gezeten aan zijn schrijftafel of staand aan zijn statafel keek hij uit over de daken van St-Peter Port en voltooide hij een aantal van zijn belangrijkste werken, zoals 'Les Misérables' en 'L'homme qui rit' (De man die lacht). In de roman 'Les Travailleurs de la Mer', die op Guernsey speelt, schildert hij een mooi beeld van de natuur en de bewoners van het eiland. Vanuit de Lookout leidt een gang naar een piepkleine, onverwarmde ruimte, waar Hugo op een bank placht te slapen – vergeleken met de rest van het huis een haast spartaanse aangelegenheid.

Een eik voor Europa

Werp vooral even een blik in de tuin. Hier groeit de 'Europa-eik', nog geplant door Victor Hugo die zich inzette voor een verenigd Europa.

Bij uitstapjes verkende Hugo graag de *Archipel de la Manche,* zoals hij de Kanaaleilanden noemde. Ook na 1870, het einde van zijn ballingschap, keerde hij regelmatig naar zijn Guernsey terug.

Informatie

Hauteville House: 38 Hauteville St., tel. 01481 72 19 11, www.victorhugo.gg/hautevillehouse, apr.-juni, sept.-eerste week van okt. ma.-za. 10-12, 14-16, juli/aug. 10-16 uur (laatste entree), rondleiding in Engels of Frans, volw. £ 6, 60+ £ 4.

In het voetspoor van Hugo

Onder aan het museum staat aan de bovenzijde van Candie Gardens, met het gezicht naar zee gekeerd, een **standbeeld** van Victor Hugo, gemaakt in 1914. De schrijver lijkt diep in gedachten verzonken en zijn cape wappert in de wind – Hugo maakte elke dag een wandeling over de kliffen. Informatie over **tochten** in het spoor van Victor Hugo kunt u inwinnen bij het Tourist Information, North Esplanade; **internet:** www.victorhugo.gg

De mooiste uitkijkpunten

Wie goed zicht wil hebben op de bedrijvigheid in de haven, kan het beste een kop koffie pakken in het café van warenhuis **Creasey's** 1 (lift vanaf High Street). Iets onder de Victorian Shop leiden traptreden van Cornet Street omhoog naar de parkeerplaats op **Mignot Plateau** 12 met de voormalige kerk St Barnabas (gebouwd in 1874, tegenwoordig het eilandarchief). Ook hier hebt u een geweldig uitzicht op stad en haven. In het Guernsey Museum kunt u de sleutel opvragen voor de toren tegenover de brandweer, **Victoria Tower** 13, waar u hoog boven de stad uittorenend mijlenver kunt kijken.

Guernsey Museum & Art Gallery 11

Candie Gardens, tel. 01481 72 65 18, www.museums.gov.gg, zomer dag. 10-17, winter 10-16 uur, £ 4

Dit museum, opgebouwd uit meerdere achthoekige paviljoens, vertelt op compacte wijze de geschiedenis van het eiland. Met filmbeelden, geluidsfragmenten en modellen is de geschiedenis te volgen vanaf de nieuwe steentijd, en wordt u geïnformeerd over de geologie, flora en fauna, cultuur en economie van Guernsey en de buureilanden Herm en Sark. In de Art Gallery zijn wisselende tentoonstellingen te zien van plaatselijke kunstenaars, en presentaties rond eilandthema's.

Overnachten

Historische flair – **Old Government House Hotel & Spa** 1: Ann's Place, tel. 01481 72 49 21, www.theoghhotel.com. Dit hotel, gevestigd in de voormalige residentie van de *lieutenant governor*, ligt in het centrum van St-Peter Port en herbergt 68 comfortable kamers, een verwarmd zwembad, een fitnessruimte en een spa; 2 pk £ 143-295.

Centraal en chic – **Moore's Central Hotel** 2: Le Pollet, tel. 01481 72 44 52, www.moores.sarniahotels.com Modern comfort binnen historische muren: dit is de vroegere stadswoning van de familie Sausmarez, en is nu een Best-Western-Hotel met 49 kamers, fitnessruimte met jacuzzi, een sauna en een solarium; 2 pk vanaf £ 94, suite £ 244.

Comfort en panorama – **Hotel de Havelet** 3: Havelet, tel. 01481 72 21 99, www.havelet.sarniahotels.com Prachtig gelegen Best-Western-Hotel met uitzicht op Castle Cornet en de haven; 34 mooie kamers, overdekt zwembad, sauna, jacuzzi, restaurant, 2 pk £ 96-230.

Chic en trendy – **The Clubhouse @ La Collinette** 4: St Jacques, tel. 01481 71 03 31, www.lacollinette.com Modern boetiekhotel met designerkamers, 2 pk/1 pk £ 55-105.

Rustig en uiterst centraal – **Duke of Normandie Hotel** 5: Lefebvre St., tel. 01481 72 14 31, www.dukeofnormandie.com Knus driesterrenhotel met 37 zeer individueel ingerichte kamers in verschillende grootten en uitvoeringen, van mini tot *executive*, midden in het hart van de stad; £ 65-140.

Geweldig panorama – **Sunnycroft Hotel** 6: 5 Constitution Steps, tel. 01481 72 30 08, gratis telefoonnr. in GB ma.-vr. 9-17 uur: 0800 316 03 14, www.sunnycrofthotel.com Dit kleine tweesterrenhotel, dat iets onder straatniveau ligt, is van alle comfort voorzien. Het heeft veertien, zij het wat kleine kamers waarvan sommige een balkon hebben en een geweldig uitzicht, ook vanaf het terras over de daken van de stad; 2 pk £ 76-112, 1 pk £ 62.

Klein stadhotel – **The Marton Private Hotel** 7: Les Vardes, tel. 01481 72 09 71, www.martonhotel.pandorahotel.co.uk Klein hotel met 28 kamers in het rustige zuiden van de stad, nabij Hauteville en Havelet, met uitzicht op de tuin of de stad, £ 30-37 pp. Zusterhotel is **The Pandora** 8, Hauteville St., £ 38-48 pp.

Eten en drinken

Wat de zee te bieden heeft – **Pier 17** 1: Albert Pier, tel. 01481 72 08 23, www.pier17restaurant.com. Voorgerechten en desserts circa £ 6-8. De keuken van dit restaurant is beroemd om zijn zeevruchtengerechten. Ware lekkerbekken kiezen als hoofdgerecht de beroemde Seamus' Scallops, £ 15 naar een recept van meesterkok Seamus Duggan, of tarbot met kappertjes (£ 16,50); natuurlijk kan ook voor een vleesgerecht worden gekozen (£ 16-19).

Tot 9 mei 1945 stond op het terrein van **La Collinette Hotels** 4 het German Naval Signals H. Q. Het 'Informatiehoofdkwartier van de Duitse Zeecommandant Kanaaleilanden' is nu ingericht als museum, inclusief beroemde codeermachine (bel voor een bezichtiging tel. 01481 70 04 18, £ 2,50).

De betere Italiaan – **Da Nello's** 2: 46, Le Pollet, tel. 01481 72 15 52, dag. geopend. Hier kan niets misgaan: Italiaanse topgerechten, geserveerd in een gezellige, 200 jaar oude Inn met geweldige service; driegangenmenu ca. £ 27.

Voor elk wat wils – **Christie's** 3: Le Pollet, tel. 01481 72 76 24, dag. geopend. Een

De mooie haven is de lokker van Guernseys hoofdstad St-Peter Port

geliefde plek voor een avond uit, met veel sfeer en livemuziek, lekker eten, bijzondere visgerechten; overdag kleine lunchgerechten in bistrostijl (£ 4,50-15).
Gastropub – **The Swan** 4: St Julian's Avenue, tel. 01481 72 89 69. Op de eerste verdieping van deze pub kan 'modern British' worden gegeten: Engelse klassiekers in een nieuw jasje, zoals lamsschouder, *pork belly* met pastinaakpuree of *bean jar* (bonenpot), hoofdgerechten rond £ 10.
Bar en bistro – **L'Escalier** 5: Tower Hill, tel. 01481 71 00 88, www.escalierguernsey.co.uk, di.-za. Piepklein restaurant met nostalgische inrichting; verrassende combinaties, ook bij de gerechten – voorafjes (£ 8-20) als scallop-carpaccio of ravioli met garnaal, hoofdgerechten met vooral veel vis (£ 13-18). Wie vroeg aantreedt (17.30-19.45 uur) kan genieten van een driegangenmenu voor maar £ 12,50.
Frans – **Le Petit Bistro** 6: 56 Lower Pollet, tel. 01481 72 50 55, ma.-za. 12-14, 18-22 resp. vr./za. 22.30 uur, zo. gesl., vroeg diner 18-19 uur. Franse klassiekers als kikkerbilletjes en coq au vin. Drie gangen £ 13, *set lunch* (twee gangen) £ 11,25 (eenvoudige kost als boeuf bourguignon), één gang £ 9,95 (incl. 1 glas wijn).

Winkelen

Le Pollet en High Street zijn dé winkelstraten van Guernsey: schoenenwinkels, boetiekjes en de bekende filialen. In de oude binnenstad **Viaer Quatre** rond Mill en Mansell Street tot Trinity Square liggen interessante boetieken, galerietjes en antiekwinkels.
Warenhuis – **Creasey's** 1: tussen High Street en haven. Grootste warenhuis van de stad.
Goed beschut – **The Guernsey Shop** 2: North Esplanade. Sportieve kleding voor elk type weer, met het beste aanbod *in town* van Guernseys (truien).
Postzegels – **Post Office** 3: Smith St. Postzegels die niet iedereen heeft; een klein museum stelt er heel wat tentoon.

Uitgaan

Voor de drinkende boekenwurm – **Library Bar:** Le Pollet, in **Moore's Central Hotel** 2. Pub, ingericht als bibliotheek, waar geen boeken maar drankjes worden 'uitgeleend'.
Irish Music Pub – **Cock and Bull** 1: Lower Hauteville. Gezellig muziekcafé, met een uitstekend assortiment real ales; u kunt er ook eten (lunch ma.-za. 10-14 uur, hoofdgerechten ca. £ 5-9).
Livemusik – **The Dog House** 2: The Rohais, tel. 01481 72 13 02, www.doghouse.gg Circa 2 km ten westen van St-Peter Port, 's avonds vaak jazz met livemuziek; populaire pub met experimentele crossover-keuken, £ 8,50-13.
Gezellig – **The Swan** 4: zie boven.

Sport en activiteiten

Dagtocht naar het eiland Herm – **Travel Trident** 1: 10 blz. 83
Duiken – **Dive Guernsey** 5: Castle Emplacement, Dive Bunker, tel. 01481 71 45 25, 07781 40 40 85, www.diveguernsey.co.uk. PADI 5-sterrenbasis; duikcursussen. Guernseys beste duiklocatie is Havelet Bay.
Fietsverhuur – **Guernsey Cycle Hire** 2: North Plantation, tel. 01481 52 06 81, 07781 19 20 33, www.guernseyhire.co.uk Vanaf 2 dagen afhaalservice, mountainbike £ 8 per dag, £ 32 per week.
Surfshop – **Sail or Surf** 6: 24 Commercial Arcade. Vriendelijk personeel dat niet alleen passende outfits maar ook handige tips paraat heeft.
Zeewaterzwembad – **La Vallette Bathing Pools** 3: bij eb vult het bassin zich met zeewater.
Zeilen – **Guernsey Sailing Trust** 4: Castle Emplacement, tel. 01481 71 08 77, www.sailingtrust.org.gg. De zomercursussen voor alle leeftijden zijn snel volgeboekt; tijdig reserveren dus!

10 Toe aan een droomeiland – Herm Island

Kaart: ▶ F–G 11–12, Oriëntatiekaartje: blz. 84
Vervoer: boten vanaf St-Peter Port

Toe aan wat eilandrust? Met de boot van St-Peter Port bent u in slechts een kwartier varen al bij het kleine eiland Herm – ideaal om even de hectiek en het autoverkeer op Guernsey te ontvluchten.

In de middeleeuwen was Herm feodaal land, totdat cisterciënzermonniken het eiland pachtten. Drie monniken in het wapen van het eiland herinneren daar nog aan. Thans valt Herm onder de States of Guernsey en is het verpacht, met de verplichting het voor publiek toegankelijk te houden – anders dan bij buureiland **Jethou**, dat privébezit is.

Wit zand, mosselstrand

Dicht bij de aanlegplaats voor boten, bij het centrale kruispunt voor het **White House Hotel** 1, loopt een weg tussen hortensia's naar het noorden. Links ligt het zandstrand **Fisherman's Beach** 1, dat even verderop Bear's Beach heet.

In het noorden van het eiland vindt u duinen met een interessante flora en talloze dolmen. De eerste bewoners van Herm bouwden circa 5000 jaar geleden menhirs en ganggraven. In de 19e eeuw werd graniet een belangrijke inkomstenbron – en dat kostte menig menhir of deksteen 'de kop'. Aan de noordzijde van Herm nodigt het zandstrand **Mouisonnière Beach** 2 uit tot een kleine rustpauze. Even verderop worden bezoekers verrast door het indrukwekkende, bijna 1000 m lange en uitgestekte **Shell Beach** 3 – een vlak strand met 'zand' van fijne schelpen, ideaal voor kinderen en wandelaars. Na een sterk getijde zijn hier de bizarste schelpfragmenten vinden, die met de Golfstroom van ver worden aangespoeld.

Steile kliffen in het zuiden

De inspannende klim naar het ruige, zuidelijke deel van het eiland wordt ruimschoots beloond met verrassende ver-

Overigens: de koeien van Herm geven volgens velen de allerbeste melk. De melkkannen worden 's ochtendsvroeg opgehaald met de eerste boot – de Milk Boat; passagiers mogen met korting meevaren.

gezichten over zee en verlaten baaien. Omsloten door hoge rotswanden ligt **Belvoir Bay** 4, waar prima gezwommen kan worden. Verder op het kustpad in de richting van **Puffin Bay** 5 komt u langs baaien waar u niet omlaag kunt. Dat is niet erg: van bovenaf hebt u prachtig uitzicht op het slechts 5 km verderop gelegen Sark en de vogelrotsen rondom. Op deze steile kliffen gedijen talloze plantensoorten, waaronder exotische gewassen als de uit Zuid-Afrika afkomstige middagsbloem, die in de zomer met haar prachtige, grote roze bloemen insecten lokt. Met een beetje geluk ziet u misschien wel een papegaaiduiker (van mei tot eind juli).

Kapel voor een herenhuis

Het **Manor House** 6, dat teruggaat tot de 15e eeuw, heeft een imposante, hoekige toren met kantelen waarop de Britse vlag wappert. Het wordt bewoond de tweede generatie van de pachtersfamilie van dit eiland. Door een poort komt u uit bij **St Tugual's Chapel** 7 uit de 11e eeuw, die gewijd is aan een heilige uit Wales. Binnenin zijn de mooie ramen van de kapel een bezoekje waard.

Informatie

Herm Island Tourist Information: tel. 01481 72 23 77, www.herm.com

Reizen naar Herm

Van 8.30 (Milkboat) tot 17.30 uur (laatste terugtocht) vaart elke 15-20 min. een boot vanaf St-Peter Port (Trident Tours, tel. 01481 72 13 79). De boten leggen in de regel aan in de **haven** aan de westzijde van Herm, maar bij lage waterstand gebeurt dat bij de **Rosaire Steps,** iets zuidelijker.

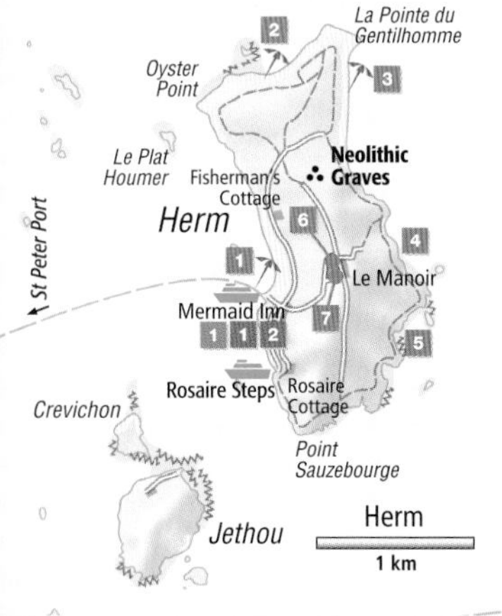

Overnachten

White House Hotel 1 is een heus droomhotel om je even aan de wereld te kunnen onttrekken – in de kamers is geen telefoon, geen klok en geen tv (tel. 01481 75 00 75, 40 kamers, enkel halfpension, £ 92-142). Er zijn ook **appartementen** in de zijgebouwen van het Manor House en vakantiehuisjes, zoals Fisherman's Cottage, 2-8 personen, £ 260-1230 p.wk, alsmede een **camping**, tel. 01481 75 00 00, mei-sept.

Eten en drinken

The Ship Inn 1 in het White House Hotel heeft een prima keuken en dito wijnen, lunch circa £ 10; de **Mermaid Tavern** 2 pub serveert lunch en diner, bij mooi weer in de tuin met barbecue (april-okt.) – de keuken heeft voor elk wat wils tegen redelijke prijzen.

Overdekt – **Beau Sejour Leisure Centre** 7: Amherst (aan de noordelijke stadsrand), tel. 01481 120 50, www.beausejour.gg Sporthal, fitnesscenter met klein overdekt zwembad, sauna, whirlpool, squash en tennis.

Informatie en reserveren

Tourist Information Centre: North Esplanade, tel. 01481 72 35 52, www.visitguernsey.com mei-sept. ma.-za. 9-17, za., zo. 9-13, maart, april, okt., nov. ma.-vr. 9-17, za. 9-13 , anders ma.-vr. 9-17, za. 10-12.30 uur.

Data

Liberation Day: 9 mei, de dag waarop de bevrijding van de Duitse bezetting wordt herdacht, wordt uitbundig gevierd in heel St-Peter Port, met 's avonds vuurwerk.
Town Carnival: eind juli/begin aug. Livemuziek, vuurwerk en kraampjes met allerlei culinaire specialiteiten.

Verkeer

Veerboten: veerboten naar Jersey en St-Malo/Frankrijk vanaf White Rock Pier met Condor, tel. 01481 72 96 66 (veelal met tussenstop in Jersey); naar Sark vanaf St-Julian's Pier mit Sark Shipping Co.,tel. 01481 72 40 59, naar Herm zie blz. 84.
Bus: vanaf busstation (South Esplanade) rijden lijnbussen naar alle hoeken van het eiland. Informatie: www.gov.gg/traffic. www.icw.gg/buses
Huurauto's: er zijn meerdere autoverhuurbedrijven op de luchthaven; in St-Peter Port zelf kunt u terecht bij Economy Car Hire bij de haven, tel. 01481 72 69 26, www.economycarhire.com; Avis-kantoor (Seaquest), North Plantation (achter de Tourist Information), tel. 01481 72 17 73.
Fietsverhuur: Millard's, 9-11 Victoria Rd., tel. 01481 72 07 77, www.millards.org, ma.-vr. 8.30-17.30, za. 8.30-16.30 uur. Fietswinkel met een ruime keuze aan huurfietsen (£ 8,50 per dag, £ 35 per week); geen haal- en brengservice; u kunt hier ook een scooter of snorfiets huren (vanaf £ 31 per dag).
Taxi's: standplaatsen in St-Peter Port aan het einde van Le Pollet en de High Street.

Het zuiden

St Martin ▶ D 13

Bus 5, 6 (ook Jerbourg, Saints Bay, Icart) en 7/7A (Pleinmont)
In het centrum brengt een steegje (let op: eenrichtingsverkeer) u naar St-Martin's Parish Church; voor de ingang wordt u opgewacht door de bijna levensgrote – en na een bruiloft vaak ook nog met bloemen versierde – **Grand-mère du Chimquière** ('grootmoeder van het kerkhof'). Het is een menhir, die waarschijnlijk pas in de Romeinse tijd haar gezicht en halsketting kreeg en tot op heden wordt vereerd als vruchtbaarheidssymbool en geluksbrenger. De **St-Martin's Parish Church** stond hier al in 1048, onder de Normandische hertog William. Schip, koor en toren van het huidige bouwwerk dateren uit de 13e eeuw. De kleine zuidelijke entree met portiek in zogeheten Decorated Style – Engelse laat-gotiek – werd er in 1520 aan toegevoegd.
Overnachten in het dorp – **La Bellieuse Cottages:** c/o Del Mar Court, Le Varclin, St-Martin's, tel. 01481 23 74 91, www.selfcatering.co.gg Knus wonen in twee omgebouwde boerderijen met rustieke granieten muren en schattige voortuintjes, nabij St-Martin's Church, voor 2 personen £ 275-545 per week.
Sieradenatelier – **Catherine Best:** The Mill, Steam Mill Lane, ma.-za 9-17.30,zo. 9.30-17 uur. De sieradenontwerpster werkt in een oude molen.

Sausmarez Manor ▶ D 13

11 Blz. 86

11 Sir Peter en de modernen – Sausmarez Manor

Kaart: ▶ D 13
Vervoer: Bus 5/5A (South), 6/6A, 7/7A

Sausmarez Manor is een traditioneel landhuis vol geschiedenis –van ontdekkers en uitvinders tot smokkelaars en vrijbuiters. De huidige eigenaar sir Peter – nazaat van de oorspronkelijke bezitters – is een kind van zijn tijd, en zijn beeldentuin bij het huis nodigt uit tot een kennismaking met de modernen.

Bij het enige voor publiek toegankelijke landhuis van het eiland wacht de bezoeker een ware caleidoscoop aan attracties. Het huidige uiterlijk van Sausmarez Manor, met zijn elegante grijsgranieten façade, is kenmerkend voor de vroege 18e eeuw, de regeerperiode van Queen Anne. In die jaren werd ook de glazen uitkijk op het dak gezet, waar de blik tot aan zee reikt. Vanuit deze zogeheten Widow's Walk ('weduwegang') kon de vrouw des huizes in de gaten houden welke schepen binnenliepen – het gebeurde regelmatig, dat mannen niet meer van zee terugkwamen.

Overigens: uit documenten blijkt dat de pachtgronden Samares op Jersey en Sausmarez op Guernsey in de 13e eeuw nog dezelfde leenheer toebehoorden, William de Salinelles (Samarès Manor, Jersey, zie blz. 58).

Illustere voorouders

Een rondleiding door **Manor House** 1, vol eiken en mahonie, familieportretten en antieke meubels, gunt bezoekers een kijkje in de geschiedenis van de familie. Thomas de Sausmarez (1756-1837), had 28 kinderen uit twee huwelijken; geen wonder dus, dat hij het huis liet uitbreiden. Tot de illustere voorouders van de huidige seigneur sir Peter behoren ontdekkers en uitvinders, smokkelaars en vrijbuiters. Een van hen was Philip de Saumarez – de Franse schrijfwijze wees hij bewust af – die in 1743 een Spaans galjoen voor de Filipijnen in opdracht van hare majesteit een waardevolle Incaschat afhandig wist te maken. Ook Guernseys grootste zeeheld admiraal James Saumarez was familie. Hij streed op alle fronten tegen de Franse vijand: in de plaatselijke wateren, onder Nelson op de Nijl, en op de Oostzee.

Bloemenpracht en kunst

Breng vooral een bezoekje aan **Woodland Garden** 2, een jungleachtig labyrint waar u zich onder metershoog bamboe – er groeien hier meer dan dertig verschillende soorten – en enorme varens, naast de vijver met bruggetje, op een exotisch continent waant. De tuin is vooral erg mooi van het voorjaar tot de zomer, wanneer de ruim driehonderd varianten camelia in bloei staan – ze zijn terecht sir Peters grote trots. Aan het eind van de zomer en in de herfst springen vooral de weelderige hortensia's en de fragiele cyclamen in het oog.

Maar dat is niet het enige. De seigneur van St-Martin stelt zijn uitgestrekte Woodland Garden namelijk ter beschikking aan hedendaagse kunstenaars en hun werk. De circa 250 beelden zijn ook te koop, en er is voor elke portemonne wel iets te vinden. Wie wil, kan hier een uniek souvenir op de kop tikken.

Informatie

Het park is het hele jaar toegankelijk, dag. 10-17 uur en is in principe gratis. Alle bezienswaardigheden zijn apart toegankelijk; een zogeheten 'Privilege Pass' geeft korting.

Rondleidingen Sausmarez Manor: tel. 01481 23 55 71, www.sausmarezmanor.co.uk 40 minuten durende rondleidingen van half mrt.-half apr. ma.-do. 10.30 uur, half apr.-mei en eerste helft okt. 10.30 en 11.30 uur, juni-sept. ma.-do., ook za. (als er niet getrouwd wordt) 10.30, 11.30, 14 uur, £ 7.

Subtropische tuin en **beeldentuin:** www.artparks.co.uk, dag. 10-17 uur, volw. £ 6. De **Ghost Tours** worden hoogstpersoonlijk door sir Peter geleid, na telefonische reservering (vanaf 6 pers.).

Actie voor het hele gezin

Kinderen mogen de eenden voeren bij de vijver en kunnen mee met een van de **treinen** 3 (tijdens schoolvakanties dag., anders za., zo. 10-17 uur, kinderen tot 12 jaar £ 1,50, volw. £ 2). Golfen voor beginners – dat is de beste omschrijving van de **Pitch and putt** 1 (tot 1 uur, 9-holes of 18-holes £ 6-8).

Winkelen

Apr.-okt. za 9-12.45 uur **Farmers' Market:** groenten en fruit, eieren – natuurlijk biologisch – honing, jam en marmelade en onweerstaanbare chutneys... Een overzicht van alle activiteiten is te vinden op www.sausmarezmanor.co.uk. In een schuur hamert de smid van **Guernsey Coppercraft** 4 traditionele *Guernsey milk cans* in vorm en hij produceert nog meer souvenirs van tin, zilver en messing (www.guernseycans.co.uk, Pasen-okt. dag. 10-16.45, nov. ma.-vr., dec. dag. 13.30-16 uur, toegang gratis).

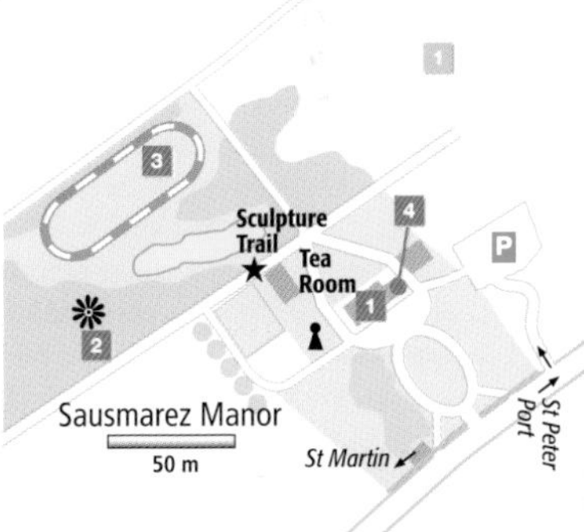

Fermain Bay ▶ D 13

Bus 5, 6 (South), 7

De baai is vanaf St-Peter Port het makkelijkst te voet te bereiken via het kustpad (net geen 3 km; zie ook blz. 91).

Luxueus onderkomen – **Fermain Valley Hotel:** Fermain Lane, St-Peter Port, tel. 01481 23 56 66, www.fermainvalley.com Voormalig landhuis in het groen boven Fermain Bay, met zwembad, £ 65-122,50 pp. Restaurant met goede Engelse keuken, bijv. lam of jacobsschelpen £ 8-15.

Jerbourg ▶ D 13-14

Buslijn 6

Op de punt van het schiereiland Jerbourg steekt de zuidoostelijke tip van Guernsey St-Martin's Point in zee. U kunt het behoorlijk windige schiereiland te voet verkennen (zie ook blz. 92).

Room with a view – **The Auberge:** Jerbourg, tel. 01481 23 84 85, www.theauberge.gg Minimalistisch design en een adembenemend panorama op zee door de enorme ruiten boven de agaventuin; er is een speciale steakkaart, maar er zijn ook veel vis- en vegetarische gerechten; hoofdgerechten £ 13,50-18, £ 19-24,50 (steaks).

Moulin Huet Bay ▶ D 13

12 Blz. 90

Overnachten met zeezicht – **Hotel Bon Port:** Moulin Huet, tel. 01481 23 92 49, www.bonport.com Comfortabel hotel boven op de kliffen met heerlijk uitzicht op Moulin Huet Bay, direct aan het klifpad gelegen. Met golfbaan, sauna, fitnessruimte en verwarmd zwembad. De kamers met zeezicht en balkon zijn iets duurder, maar zijn wel het mooist (vanaf £ 105); *Standard rooms* aan landzijde vanaf £ 85-115 £ (2 pk); ook zelfstandige appartementen (vanaf £ 395-595 per week).Goed restaurant (vijfgangenmenu £ 18,50) met lichte lunches (ma.-za. 12-14 uur).

Saint's Bay ▶ D 13

Bus 6 (South)

Iets boven de bij eb zandige zwembaai staat een voor het eiland kenmerkende martellotoren. Wie de weg langs de toren naar de baai af loopt, komt bij een kleine aanlegsteiger waar steile traptreden omhoog leiden. Het is even een klauterpartij, maar die wordt ruimschoots gecompenseerd door het uitzicht tot aan de Pea Stacks en de eenzame Saints Rocks. Op het bijna 100 m hoge **Icart Point** reikt de blik naar het westen tot aan de baai Le Jaonnet, die bij eb droogvalt.

Klein hotel in het groen – **Les Douvres:** Rue de la Motte, St-Martin, tel. 01481 23 87 31, www.lesdouvreshotel.co.uk In dit mooie, 18e-eeuws huis boven Saints Bay Valley wachten 25 nogal bloemrijke maar niet al te opdringerig ingerichte kamers (2 pk £ 80-102, 1 pk £ 60-71), met tevens een verwarmd zwembad in de tuin. Restaurant met onder andere zeevruchten en vis en een gezellige bar, waar ook niet-hotelgasten welkom zijn.

Landelijke sfeer – **La Barbarie Hotel:** Saints Bay Rd., Tel. 01481 23 52 17, www.labarbariehotel.com. Een rustig gelegen, gezellig, oud granieten huis boven Saints Bay. De kamers en suites zijn verschillend van omvang, maar stuk voor stuk smaakvol ingericht; 1 pk vanaf £ 63,50, 2 pk £ 77-136. Fijne keuken met Italiaanse inslag, vis en zeevruchten, *bar menu* circa £ 8, driegangenmenu £ 22,50 .

Petit Bôt Bay ▶ C 13

Bus 7/7A

Meerdere beekjes die ooit de molens aanstuurden, monden bij Petit Bôt in de vorm van een kleine waterval uit in zee. De baai, die druk wordt bezocht, wordt bewaakt door een Guernsey-martellotoren. Bij eb verschijnt een smalle reep zand, maar verder bestaat het strand hier grotendeels uit kiezels.

Van Petit Bôt naar Portelet en Le Gouffre

De asfaltweg vanaf de baai Petit Bôt volgend, neemt u achter het panoramaplateau links het klifpad in de richting Portelet/Le Gouffre. Na pakweg 145 traptreden bereikt u het hoogste punt van het klif. Eenmaal boven hebt u een prachtig uitzicht naar het oosten, terug naar de Creux au Chien-grot onder Icart. Links kunt u doorsteken naar een voormalige geschutstelling (St-Clair Battery). Wie het pad links afloopt, richting Le Gouffre, stuit na een paar meter op een bordje 'Portelet only'. Via een bochtig pad kan omlaag worden geklauterd naar de baai Portelet, een natuurlijke rotshaven met een aanlegplaats voor boten en een indrukwekkende rotskloof. Op de kale rotsen broeden allerlei zeevogels. U kunt toekijken hoe aalscholvers en zeezwaluwen hun maaltje bij elkaar vissen en luisteren naar het krijsen van de scholeksters. Wie het kustpad tot aan Le Gouffre volgt, kan op krachten komen in het **L'Escalier Café** (Le Gouffre ▶ C 14, tel. 01481 26 41 21, zomers vanaf 9 uur geopend, lunch 12-14 uur, soep ca. £ 5). De laatste 1,5 km naar de hoofdstraat met busverkeer is daarna een makkie.

German Occupation Museum ▶ C 13

Zuidelijke Forest Road achter Forest Church, tel. 01481 23 82 05, apr.-okt. dag. 10-16.30 uur, £ 4, bus 4, 7/7A

Dit museum werd ingericht door een privéverzamelaar, die een interessante collectie bijeen wist te brengen van voorwerpen en documenten die het leven van alledag onder de Duitse bezetter tastbaar maakt.

German Military Underground Hospital ▶ C 13

La Vassalerie, St-Andrew, tel. 01481 23 91 00, apr.-juni, sept. dag. 10-12, 14-16, juli, aug. 10-16.30, mrt., okt. en nov. do. en zo. 14-15 uur, £ 3,50, bus 4 en 5/5A

Het German Military Underground Hospital is op deprimerende wijze het aanschouwelijke bewijs van de bekende 'deutsche Gründlichkeit'. Dwangarbeiders hakten hier uit de rotsen een waar labyrint van gangen, operatiezalen en ziekenkamers; in sommige kamers staan zelfs nog de oude bedden. Interessant is ook de verzameling krantenknipsels, waarin het leven onder de Duitse bezetting van 30 juni 1940 tot 9 mei 1945 is vastgelegd.

Little Chapel ▶ C 13

Les Vauxbelets, Rue de Bouillion, St-Andrew, toegang gratis, bus 4, 5

Bij de katholieke meisjesschool Blanchelande College, onder aan de heuvel, wacht u een wel heel curieus bouwwerk. Little Chapel is het kleinste kerkje en tegelijkertijd de grootste schervenhoop van het eiland. Hier werkte een zekere monnik Deodat vanaf 1923 aan zijn miniatuurversie van de kapel van Lourdes; hij versierde het bouwwerk met mosselschelpen en porseleinscherven in alle kleuren en vormen.

Bruce Russell & Son Gold, Silversmith & Jewellery ▶ B 13

Le Gron, St Saviour's (noordwestelijk van de luchthaven), tel. 01481 26 80 82, www.guernseymint.com, toegang gratis, bus 4, 5/5A

Dit juweliersatelier, waar u ook sieraden kunt kopen, is een populaire bestemming. Er ligt een goed verzorgd park bij en een café-restaurant waar het prima toeven is.

12 Het kustpad op, de lanen in – naar Moulin Huet Bay

Kaart: ▶ D–E 13, duur: ca. 9 km, Oriëntatiekaartje: blz. 93
Vervoer: Terug: bus 5, 6 (South), 7

Het prettige kustpad rond de zuidoostpunt van het eiland, voorzien van praktische bankjes, voert door een van de mooiste stukken van Guernsey. Op pad door bloemrijke dalen met uitzicht op uitnodigende baaien als Moulin Huet Bay!

De weg langs Havelet Bay in St-Peter Port eindigt bij de ingang van de **La Vallette Tunnels** 1, gebouwd in 1861 als doorsteekje naar Soldiers Bay. De tunnel werd door de bezetter omgebouwd voor eigen gebruik. Tegenwoordig wordt de tunnel gedeeld door **La Vallette Underground Military Museum** en het **Guernsey Aquarium**.

Bastion Fort George

Links van het aquarium leidt een trap naar het klif richting 'Cliff Path & South Coast'. U passeert een van de poorten van **Fort George**. De vesting werd opgetrokken tussen 1780-1812 om indruk te maken op de gevreesde Fransen; in de Tweede Wereldoorlog werd het bouwwerk door de Duitsers als radiostation gebruikt. Nadat u de poort door bent gelopen, kunt u vanaf **Clarence Battery** 2 (begin 20e eeuw), met originele kanonnen uit de achttiende en 19e eeuw, genieten van een prachtig uitzicht op de buureilanden Sark, Herm en, met een beetje geluk, zelfs Alderney (helemaal links).

Militaire geschiedenis

Achter de ruïne gaat u bij de splitsing naar links, het pad verder richting zuidkust volgend. Links leiden traptreden omlaag naar **Soldier's Bay** 3; de naam, 'Soldatenbaai' dankt de baai aan het nabijgelegen garnizoen Fort George. Bij eb komt in Soldier's Bay een kiezelstrand en een piepklein zandstrand tevoorschijn.

De weg begint nu te klimmen, rechts begeleid door de vervallen en met klimop overwoekerde muren van het voormalige fort. Een stuk verderop belandt u op de van rechts komende privéweg La Corniche, waaraan prachtige villa's met weelderige tuinen staan. Erboven ligt de villawijk Fort George. Volg deze weg een hele tijd naar links, totdat u bij het einde van de doodlopende weg bent; neem dan het ernaast gelegen pad dat rechtdoor gaat en de plattegrond volgt van een hoekige bastionmuur. Erachter buigt een pad af naar de **Militaire begraafplaats** 4 van het Britse leger, waar overigens ook 111 Duitse soldaten begraven werden die tijdens de Tweede Wereldoorlog vielen. U hebt hier mooi zicht op Herm.

Bloemrijke bospaden

Als u het klifpad richting Fermain Bay volgt, belandt u weldra in een romantisch bos vol scheefgegroeide donkere steeneiken. Deze eeuwiggroene, mediterrane bomen gedijen prima in het milde klimaat van de Kanaaleilanden. Het bos – waar ook loofbomen groeien – wordt **Bluebell Wood** 5 genoemd, omdat in april en mei zich hier een enorm blauw tapijt uitstrekt van boshyacintjes *(bluebells)*, vergezeld door andere bonte voorjaarsbloemen.

De wandeling gaat nu trap op, trap af door het heuvelachtige terrein en op plekken met minder begroeiiing soms zelfs dwars tussen hoge fuchsia's door. Overal staan bankjes om even uit te rusten en te genieten van het uitzicht op zee en de andere eilanden. Links omlaag gaat een pad richting **Ozanne Steps** 6. Via hoge, steile traptreden kunt u daar bij vloed het water bereiken. Het bospad stuit nu weldra op een kruising; links gaat het omlaag naar de kleine haven Le Becquet (bordje 'The Moorings'). Rechts komt u uit bij de weg St-Peter Port-St Martin; via treden kunt u over een voetpad en vervolgens over de weg naar Fermain Bay lopen.

Als een briefkaart

Fermain Bay 7 met zijn rustige zee is goed geschikt voor kinderen, en bij eb komt er een mooi zandstrand tevoorschijn. De baai is dan ook populair bij gezinnen. U kunt er ligstoelen huren en heerlijk zonnebaden. In Fermain Bay staat een mooi voorbeeld van de voor deze eilanden kenmerkende, sierlijke ronde **martellotorens.** Wie de tocht bij Fermain Bay wil beëindigen, bereikt langs het diepe dal, dat uitgesleten is door het in de baai uitmondende water, de busroute op de hoofdweg. U kunt daarbij het pad volgen dat rechts parallel loopt aan de van de **Tea Room** omhoog lopende weg. Het bospad eindigt bij het **Fermain Valley Hotel** 1; nu is het nog maar 100 m over de weg tot u bij de hoofdweg met busverbinding komt.

Een woestromantische etappe

Verder op het kustpad achter Fermain Bay wordt het echt romantisch. Na het gelijknamige beekje te zijn overgestoken, klimt de weg via treden omhoog de kliffen op. Een steen wijst hier de weg naar St-Martin's Point respectievelijk Bec du Nez/Marble Bay. Er zijn nu twee opties. Voor de binnenlandvariant ('Calais/St-Martins Pt.') moet u aan de zuidelijke kant van het dal links omhoog lopen, via het privéterrein van Mont Frié en langs de muur van dat complex verder over het *cliff path.* Optie twee: u neemt de weg die dichter bij de kust blijft, door

Overigens: de Water Lanes op Guernsey zijn een belangrijk onderdeel van het eeuwenoude afwateringssysteem van het eiland. Ze zorgen ervoor dat na sterke regenval het water van het steile landschap netjes naar het dal wordt gevoerd. Tegenwoordig zijn ze ook vaak het decor van romantische wandel- en ruiterpaden, waar het water in smalle kanalen kabbelend zijn weg zoekt.

open terrein dat overwoekerd is met varens, kamperfoelie en gaspeldoorn. U kunt nu doorsteken naar **Bec du Nez** 8 met zijn kleine vissershaven.

Stenen kleurenspel

Nadat de beide routes – binnenland en kustpad – weer samen zijn gekomen, buigt de weg al snel af naar **Marble Bay (Le Pied du Mur)** 9. De 'marmerbaai' dankt zijn naam aan het met kwarts doortrokken gesteente dat hier gevonden wordt en dat aan marmer doet denken. Hier kunt u doorsteken naar een kleine aanlegplaats in de piepkleine zijbaai **La Divette,** al vergt dat wel enig klimwerk. Het is bij vloed een leuke plek om te zwemmen. Boven Marble Bay begint het **Pine Forest** 10 van enorme zeedennen. Achter het donkergroene silhouet van de bomen is de in het zonlicht schitterende turkooizen zee een haast mediterraan beeld.

Punt in de branding

Wie de stenen wegwijzer 'National Trust of Guernsey' omlaag volgt, komt uit bij Jerbourg Road (bushalte) bij de **Doyle Column** 11, die al van ver te zien is. De zuil werd ter ere van *lieutenant* Governor Doyle geplaatst. Doyle zorgde er onder meer voor dat het eiland Vale in het noorden 'aansluiting' kreeg met Guernsey door de zeepas ertussen op te vullen. De Duitse bezetter blies de zuil op, maar hij werd na de oorlog hersteld. Wie wil, kan nog een paar honderd meter doorlopen naar het uiterste zuidoostelijke punt van Guernsey, **St-Martin's Point** 12, en naar de vuurtoren die op afstand kan worden bestuurd (afstand van de start in St-Peter Port tot aan dit punt: 4 km).

Rotsige baai

Wie niet om Jerbourg Point heen wil lopen, gaat bij de Doyle Column een stukje over de weg en pakt het *cliff path* weer op bij de parkeerplaats tegenover de Doyle Column. Verderop op het kustpad, richting Petit Port, wachten nog allerlei plekjes waar u vogels kunt spotten. Tijdens de broedperiode van eind mei tot augustus kunnen met een verrekijker de zeevogels worden bestudeerd, die leven op de rotsige **Pea Stacks** 13 (deze rotsen zijn niet te bereiken). Het pad meandert tussen hoge sleedoornstruiken aan de oostzijde langs de grote **Moulin Huet Bay**. Zo ronden we het door wind getergde schiereiland Jerbourg; in de verte steekt de Doyle Column al weer hoog in de lucht.

Het klifpad loopt door in westelijke richting en gaat boven Moulin Huet langs, waar het in de lente en aan het einde van de zomer heerlijk naar bloeiende gaspeldoorn geurt. Onder het pad ligt de baai **Petit Port** 14 die bij eb droogvalt; steile treden leiden omlaag. Aan het westelijke uiteinde van de baai, in de richting van Icart Point, zijn al de **Dog and Lion Rocks** te onderscheiden; hun bizarre vormen doen denken aan honden en leeuwen. Het kustpad buigt nu landinwaarts en loopt door een stuk dal. Rechtdoor gaat de weg door een hekwerk, om vervolgens uit te komen op Mont Durand. Het kustpad daarentegen gaat links via treden omlaag en steekt het dal door.

Op de beschutte dalzijde loopt u tussen een dichte haag van sleedoorns door, die vervolgens overgaat in een bos van oude steeneiken en esdoorns. U volgt nu een moment lang de geasfalteerde weg. Vervolgens gaat het links omlaag, langs een beekje en onder een slagboom door die het autoverkeer tegen moet houden; u komt uit bij weer een pad, dat langs met klimop begroeide muren en onder een grote, oude steeneik door uiteindelijk naar een uitkijkpunt leidt.

Waar Auguste Renoir schilderde

Het pad stuit op een kleine asfaltweg, die naar **Vier Port Bay** 15 aan de westelijke zijde van Moulin Huet Bay leidt – een baai waar bij eb goed gezwommen kan worden, al liggen er in de regel meer kiezels dan zandkorrels. De smalle weg voert vervolgens omhoog, langs de **Moulin Huet Tea Room** 4, naar de plek (inclusief uitkijkplateau en een bankje), waar de beroemde schilder Auguste Renoir in 1883 een van zijn bekende schilderijen van de baai gemaakt zou hebben – de makkelijkste manier om Moulin Huet Bay en de omliggende baaien te bereiken.

Molendal en Water Lane

In het oude molendal van de watermolen Moulin Huet – waaraan de hele baai zijn naam dankt – gaat het pad omhoog naar een parkeerplaats en vervolgens door naar de **Moulin Huet Pottery** 16. Bij de parkeerplaats kabbelt aan de rechterzijde een idyllische Water Lane (zie kader blz. 92) door het vroegere molenkanaal. De wandeling heuvelopwaarts brengt u langs mooie, oude granieten huizen en natuurstenen drinkbakken voor dieren *(abreuvoirs* genoemd*)* en bronnen van hetzelfde materiaal, op weg naar het binnenland en de oude molen van Sausmarez Manor (Old Mill, bus 5, 6 en 7).

Informatie

Tip: de wandeling is heel goed in etappes te verdelen, met onderbrekingen in Fermain Bay en Jerbourg (terugweg per bus).

La Vallette Underground Military Museum: tel. 01481 72 23 00, half mrt.-okt. dag. 10-17 uur, £ 3,50. Militaria uit onder meer de Duitse bezettingstijd.

Guernsey Aquarium: hele jaar ma.-za. 10-18, zo. 10-17 uur, £ 4,50. Circa veertig aquaria en terraria met tropische en inheemse vissen, reptielen en amfibiën.

Moulin Huet Pottery 16**:** ma.-za. 9-17, zo. 10-12 uur, toegang gratis

Eten en drinken

Wie even wil pauzeren, kan terecht bij de **Tea Room** in Fermain Bay, **Fermain Valley Hotel** 1 boven Fermain Bay, **The Auberge** 2 (zie blz. 88) of **Hotel Jerbourg** 3 op het schiereiland Jerbourg, als ook in de **Moulin Huet Tea Room** 4.

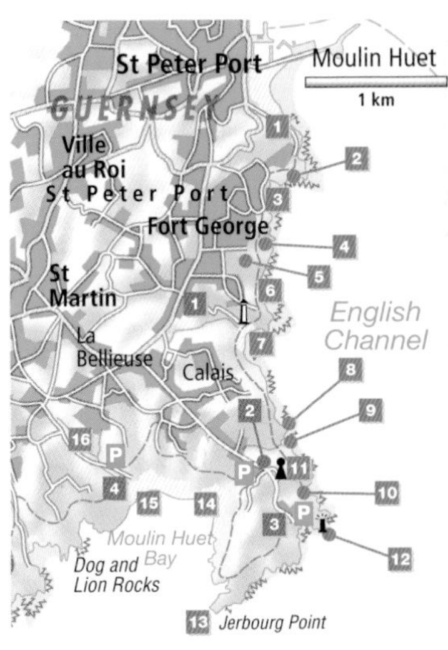

St Saviour's Church ▶ B 12

Bus 4

Schilderachtig gelegen torent boven een diep dal St Saviour's Church uit, die grotendeels uit de 14e / 15e eeuw dateert. De 35 m hoge, met kantelen getooide kerktoren werd door de Duitse bezetter als uitkijkpost gebruikt. Een romantisch weggetje met kinderkopjes leidt omlaag, het groene dal in, naar restaurant Auberge du Val.

Wonen en dineren in het stille dal – Auberge du Val: St-Saviour's, tel. 01481 26 38 62, www.aubergeduvalguernsey.com. Negen kamers, 2 pk vanaf £ 80 (mei-sept.), daarbuiten vanaf £ 35 pp. In het restaurant worden lichte maaltijden geserveerd – veel salades en groentegerechten met ingrediënten uit eigen moestuin (de kruidentuin is te bezichtigen), alsmede vis, wild- en andere vleesgerechten (driegangenlunchmenu £ 9,95, verder £ 10-25).

St-Peter in the Wood ▶ B 12-13

Bus 5 en 4 (luchthaven)

De gemeente St-Peter in the Wood, 'Petrus in het bos', draagt deze volledige naam om verwarring met St-Peter Port te voorkomen. Net als in meer middeleeuwse kerken op Guernsey werden ook in de **Parish Church St Peter in the Wood** prehistorische menhirs verwerkt. Een ervan steekt horizontaal uit de noordoostelijke muur van het koor. Binnen in de kerk, grotendeels uit de 14e en 15e eeuw, trekken vooral de mooie houten plafonds en vloeren de aandacht; de vloer helt overigens (in oostelijke richting) behoorlijk. De 35 m hoge toren herbergt dertien klokken, waaronder het grootste klokkenspel van de Kanaaleilanden.

Apartments in the mill – The Granary: Rue de Quanteraine, St-Peter in the Wood, tel. 01481 26 59 44, www.thegranaryselfcatering.com Drie stijlvolle appartementen, van alle gemakken voorzien, ondergebracht in de voormalige graanopslag van de mooie historische molen. Het is hier zo stil dat alleen het klateren van het beekje is te horen; 4 personen £ 420-990 per week.

Pleinmont-Halbinsel ▶ A 13

Buslijn 7/7A

Boven de westkant van het schiereiland Pleinmont torent een betonnen toren uit met horizontale inkepingen, achtergelaten door de Duitse bezetter. De door de Guernsey Occupation Society gerestaureerde peilstand **Pleinmont Tower** uit 1942 kan worden bezichtigd (tel. 01481 23 82 05, apr.-okt. wo., zo. 14-17 uur, mrt. en nov. 1x per wk.).

De resten van de vesting **Fort Pezeries** (17e eeuw) herinneren aan de strategische betekenis van de zuidwestpunt van Guernsey. De vesting werd in de 19e eeuw zelfs nog uitgebreid. Het pad leidt omlaag naar een mysterieuze steencirkel, **La Table des Pions**. Deze 'ronde tafel' werd tot de 19e eeuw nog gebruikt in een traditionele ceremonie: een keer per jaar werden de wegen en straten op het eiland geïnspecteerd en in sommige gevallen werd opdracht gegeven de heggen erlangs terug te snoeien – het zogeheten *Branchage*. Hier, aan het einde van de route, rustte men na gedane arbeid uit en genoot er een maaltijd.

Het westen

Vanaf de ruim 2,5 km lange Rocquaine Bay voert het kustpad langs mooie, kindvriendelijke zwembaaien met gladde, fijne zandstranden. Hier vindt u ook de beste surfplekken van het eiland.

Rocquaine Bay ▶ A 12-13

Bus 5, 7/7A

In de 'rotsige baai', Rocquaine Bay –het zandstrand komt alleen bij eb tevoorschijn – ligt altijd veel zeewier, met

Alleen bij eb liggen de boten voor het Fort Grey Shipwreck Museum op het droge

name aan de zuidzijde, waar de meeste vissersboten liggen. De aansluitende, beschutte **Portelet Harbour** is een prima plek om te zwemmen, met uitzicht op **Fort Grey** en **Lihou** (13 blz. 96)

Hotel met zeezicht – **Imperial Hotel:** Rocquaine Bay, Torteval, tel. 01481 26 40 44, www.imperialinguernsey.com Zeventien kamers, vaak met blik op zee (toeslag), mooie ligging bij Pleinmont, £ 38-62,50 pp.

Breiwerk inslaan – **Le Tricoteur:** Demi Rocher, Rue Du Rocher, bij Perelle Bay (naast Guernsey Pearl, tegenover Fort Grey), ma.-vr. 8.30-17, za. 8.30-16 uur. Echte Guernsey-truien uit eigen atelier.

Ste Apolline's Chapel ▶ B 12

La Grande Rue, St-Saviour, apr.-sept. 9-20, okt.-mrt. 9-15 uur, bus 5

Dit onopvallende, kleine kerkje werd voor het eerst in 1394 in oorkonden vermeld en heette toen nog Sainte Marie de la Perelle. De kerk, later gewijd aan de beschermheilige van tandartsen, is de enige van twintig middeleeuwse kapellen op het eiland die bewaard is gebleven. U betreedt de kapel, die door slechts drie ramen wordt beschenen, door een laag portiek. In de muren zijn monolieten verwerkt. Binnen zijn resten te zien van een fresco uit de 14e eeuw met een afbeelding van het Laatste Avondmaal.

Vazon en Cobo Bay ▶ B-C 11-12

Bus 3/3A,7/7A

Met zijn 2 km lange witte zandstrand is **Vazon Bay** misschien wel de mooiste plek om te zonnebaden van heel Guernsey. Het is bovendien een prima surf-

13 Leven met de getijden – excursie naar het eiland Lihou

Kaart: ▶ A 12
Vervoer: Buslijn 7 tot L'Eree of lijn 5 (South)

Alleen bij heel laag eb is het eiland Lihou met droge voeten te bereiken. Onderweg wachten stenen vol zeewier en kleine zoutwaterpoelen, waar zich zeeanemomen, kreeftjes en garnalen schuilhouden. Het eiland zelf herbergt een heel specifieke flora en fauna, volkomen aangepast aan de zee.

Op naar de feeën!

Op de resten van de martellotoren **Fort Saumarez** 1 aan de noordzijde van Rocquaine Bay, trok de Duitse bezetter een markante observatietoren op (privébezit), die we op weg naar de overgang naar Lihou links laten liggen; we passeren een met steeneiken begroeide heuvel. Het herbergt een geheim: de 'feeëngrot' **Creux ès Faies** 2. Het 9 m lange, circa 3800 jaar oude ganggraf telt nog twee originele dekstenen. Toen het graf in 1840 open werd gemaakt, vond men er keramiek en vuurstenen pijlpunten. Vanaf dit punt kunt u landinwaarts tot de **Trepied-Dolmen** 3 kijken. De verhoogde gangraven, die oorspronkelijk verborgen lagen onder bergen aarde, waren vaak door zichthoeken met elkaar verbonden. Van dit meer dan 5 m lange en wel 6000 jaar oude ganggraf bleven slechts enkele draag- en dekstenen bewaard.

Leven in en met de getijden

Bij het begin van de **Causeway** 4 naar Lihou hangt een getijdenplan waarop te zien is wanneer de oversteek kan worden gemaakt. Op de heenweg hebt u de tijd om de circa tweehonderd soorten zeewier te bekijken die experts op de dam aantroffen. Ook de landflora is een blik waard: op de rotsen groeien korst- en veenmossen, in de spleten planten die wind- en zoutwatervast zijn, de roze bloempjes van de Armeria of het navelkruid, en in het gras de piepkleine klokjes van een sterhyacinthsoort die alleen in de herfst bloeit. De getijdenzone, waar altijd meer dan genoeg voedsel te vinden is, lokt zeevogels als de scholekster en de steenloper naar de rotsige stranden. De naburige eilanden Lihoumel en Lissroy zijn voor hen belangrijke broedgebieden. Geniet bij de wandeling over het eiland vooral ook van het uitzicht op de branding en de verderop gelegen riffen: soms zijn er zelfs dolfijnen en zeerobben te zien!

Overigens: Lihou vormt samen met L'Eree Headland en L'Eree Shingle Bank (beide op het vasteland)een 426 hectare groot beschermd gebied volgens de Ramsar-conventie voor waterbiotopen en draslanden. Op de schrale bodem van de strandterrassen groeien gele hoornpapaver, hazestraat en doorwaskervel. In de getijdenzone achter de Shingle Bank en aan de brakwaterlagune La Claire Mare zoeken watervogels hun kostje bij elkaar.

Donkere middeleeuwen

Opgravingen in de 19e eeuw brachten middeleeuwse muurresten aan het licht. Ze maakten deel uit van de **Priory of St Mary** 5. Het klooster werd al in 1156 in een pauselijk besluit als eigendom van de benedictijnermonniken van Mont St-Michel bevestigd. De religieuze instelling was tot in de 16e eeuw in gebruik. Toen werd het geconfisqueerd door de Engelse kroon en kwam het in het bezit van Eton College. In de 20e eeuw stond er een fabriek waar jodium werd gewonnen uit zeewier; later werd het gebouw gebruikt door de bezetter, die er schietoefeningen hield. Lihou is sinds 1995 eigendom van de States of Guernsey. Het inmiddels gerenoveerde huis wordt verhuurd als groepsverblijf.

Mooi maar verraderlijk

Terug op het vasteland is bij de parkeerplaats het **Prosperity Memorial** 6 te vinden, dat de Prosperity gedenkt dat hier in 1974 in een storm zonk. Hoe mooi de westkust ook is – de met riffen bezaaide wateren zijn vreselijk gevaarlijk, zelfs al waarschuwt sinds 1862 de Hanois-vuurtoren de scheepvaart op deze druk bevaren wateren.

Informatie

Internet: www.lihouisland.com
De oversteek duurt ca. 10-15 min. Let goed op het getijdenplan (aangebracht bij de Causeway)! In het Tourist Information Centre in St-Peter Port kunt u navragen op welke dagen er met gids kan worden overgestoken .

In de buurt

Bij eb is de afstand over het strand van Rocquaine Bay naar de martellotoren **Fort Grey** 7 ongeveer 2 km; in het **Shipwreck Museum** hier zijn voorwerpen te zien die door duikers uit de wrakken zijn geborgen, zoals glazen en kanonnen uit de in 1777 gezonken HMS *Sprightly* (www.museums.gov.gg, apr.-okt. dag. 10-17 uur, £ 3).

locatie. Op de landtong tussen de beide baaien ligt **Fort Hommet Gun Casemate**, een gerestaureerde geschutstelling uit de Tweede Wereldoorlog (apr.-okt. di., za. 14-17 uur, £ 2,50).

De kust ten noorden van Vazon Bay is wild en gekloofd, met grillige punten die ver de zee in steken en met lage kliffen. Lion Rock en consorten vormen een ruig rotslandschap ten westen van **Cobo Bay**. Een korte stop is raadzaam, al was het maar om een uitstapje te maken naar het uitkijkpunt bij **Fort Le Guet**. Van bovenaf hebt u prachtig uitzicht over de uitgestrekte witte zandbaai.

Overnachten

Golfhotel – **Hotel La Grande Mare:** Vazon Bay, tel. 01481 25 65 76, www.lagrandemare.com Zeer rustige ligging aan de westkust. Het hotel telt 25 kamers en heeft appartementen voor wie graag zelfstandig 'woont', 2 pk £ 170-180.
Overnachten aan the seafront – **Cobo Bay Hotel**: Cobo, Castel, tel. 01481 25 71 02, www.cobobayhotel.com Dit is vanwege de drukke kustweg niet echt de rustigste plek om te overnachten, maar veel van de in omvang en comfort uiteenlopende 34 kamers van dit goed gerenoveerde hotel hebben een prachtig uitzicht over de aanrollende golven van Cobo Bay; 1 pk £ 49-85, 2 pk £ 79-185 (met *sea view* vanaf £ 99).

Eten en drinken

Pub Food – **Crabby Jacks Bistro & Bar:** Vazon Bay, tel. 01481 25 74 89, www.crabbyjacksrestaurant.com Gelegen aan het strand en zeer populair bij gezinnen; pasta, nacho's, seafood, salades, £ 10-15.
Thee met gebak – **Cobo Tea Room:** naast Cobo Bay Hotel (zie boven), tel. 01481 25 33 66. Zelfgebakken taart in een cottage met uitzicht op de baai.

Sport en activiteiten

Surfen – **Guernsey Surf School:** Vazon Bay, tel. 07911 71 07 89, www.guernseysurfschool.co.uk mrt-half okt. Cursussen en privélessen.
Golfbaan – **La Grande Mare Golf Course:** www.guernseygolfschool.com 18-hole-course en golfschool bij Hotel La Grande Mare (zie links).

Grandes Rocques ▶ C 11

Bus 3/3A, 7/7A

Deze landtong heeft een wel heel toepasselijke naam : 'de grote rotsen' steken in al hun omvang met hoeken en kronkels de baai in. Op deze romantische plek werd een villa gebouwd, die in de 19e eeuw dienstdeed als schoolhuis voor de kinderen van lord de Saumarez. Van 1940-1945 werd hier het Duitse eilandcommando ingekwartierd; tegenwoordig worden de aangrenzende appartementen verhuurd.
Luxe appartmenten – **Chateau les Grandes Rocques Apartments:** Castel, tel. 01481 25 60 97, www.self-cateringguernsey.com Vier compleet ingerichte luxeappartementen met elk 2-4 slaapkamers, mooi gelegen op het schiereiland tussen twee zandbaaien; £ 425-1950 per week.

Saumarez Park ▶ C 11

www.nationaltrust-gsy.org.gg, mrt.-eind okt. dag. 10-17 uur, £ 4,50, bus 2/2A en 3/3A, 3B

Het park van het voormalige landgoed van Lord de Saumarez is voor iedereen toegankelijk. Aan de rand van het park is in de gebouwen van een voormalige boerderij het **Guernsey Folk Museum** ondergebracht. Historische werktuigen geven een goede impressie van de oude ambachten en van het leven van vroeger op de eilanden, dat gedomineerd werd door de visserij en de landbouw. Ook laat het museum zien hoe appelwijn wordt gemaakt; er staan een oude ciderpers en een enorme stenen rad dat gebruikt werd om vruchtvlees tot pulp te malen; een dergelijk rad is vaak in de voortuinen van Guernsey en Jersey te zien als decoratie. Van Saumarez Park komt u via een circa 1,5 km lang voetpad uit bij Cobo Bay.

Ste Marie du Câtel (Castel Church) ▶ C 12

Bus 5/5A (South)

De kerk **Ste Marie du Câtel** staat op een van de hoogste punten van het eiland met een weids uitzicht op zee. De naam Câtel of Castel (kasteel) verwijst naar een vroegere vesting – een romaanse, zoals uit bodemvondsten is gebleken. Aan de buitenkant van de kerk zijn de hergebruikte romaanse tegels nog goed te herkennen. In de 19e eeuw ontdekte men in de kerk onder de witkalk fresco's uit de 13e eeuw. De afbeelding van valkeniers te paard en drie skeletten heeft betrekking op een middeleeuwse moraliteit over vergankelijkheid. Aan het einde van de 19e eeuw vond men onder kerk ook een 2 m hoge stenen stèle. Deze **menhir** met vrouwelijke attributen staat tegenwoordig naast de kerk en was waarschijnlijk net als de Grandmère du Chimquière in St-Martin (zie blz. 85) een vruchtbaarheidssymbool.

Landelijke keuken – **Fleur du Jardin:** King's Mills Rd., Castel, tel. 01481 25 79 96, www.fleurdujardin.com. Hotelrestaurant in traditionele Engelse countrystijl, met veel lokale specialiteiten als gebraden lamsvlees, steaks en pies; hoofdgerechten £ 9-22.

Het noorden

St-Sampson ▶ E 11

Bus 6/6A, 7/7A

Ten tijde van de granietwinning (19e eeuw) groeide St-Sampson uit tot de op een na belangrijkste haven na St-Peter Port. Vandaag de dag is **The Bridge** het op een na grootste winkelcentrum; de 'brug' verbond vroeger twee delen van het eiland.

Irish Pub met muziek – **Blind O'Reilly's:** South Side, St-Sampson, tel. 01481 24 45 03. Jong publiek en regelmatig livemuziek (veel Ierse muziek).

L'Ancresse ▶ D-E 10

Bus 6/6A, 7/7A

De westkant van het vlakke grasland van Ancresse Common wordt in beslag genomen door de 18-hole **Royal Guernsey Golf Club** (dagkaart na overlegging van een handicapcertificaat, tel. 01481 24 65 23, www.royalguernseygolfclub.com). De stranden bij de baaien **Portinfer**, **Ancresse** en **Pembroke Bay** zijn net als Vazon Cobo geliefde surfspots en vallen bij eb droog (zie ook blz. 102).

Bungalows en appartementen – **Swallow Apartments:** La Cloture, Vale, tel. 01481 24 96 33, www.swallowapartments.com Vakantiewoningen in een meerdere verdiepingen tellend hoofdgebouw, met een bungalow; klein verwarmd zwembad, rustig; appartementen en bungalow voor 2-6 personen £ 217-707 per week.

Oatlands Village ▶ D 11

Braye Rd., toegang gratis, bus 5 en 6A

Deze winkeltjes, gevestigd in een oude baksteenfabriek, zijn een populaire bestemming. Handgemaakte bonbons en uiteenlopende souvenirs en cadeauartikelen. Café-restaurant in de oranjerie.

Vale ▶ E 10-11

Bus 7/7A

14 Blz. 100

Tussen twee baaien – **Peninsula Hotel:** Les Dicqs, Vale, tel. 01481 24 84 00, www.peninsulahotelguernsey.com. Groot, modern hotel met alle comfort, zoals een verwarmd buitenzwembad; 99 kamers, kindvriendelijk. 1 pk vanaf £ 72,50, 2 pk £ 115-155. Restaurant: viergangendiner £ 18, *Bar menu* £ 8-15.

14 Van baai tot baai – excursie naar Vale en L'Ancresse

Kaart: ▶ D–E 10–11, duur circa 14 km
Vervoer: Start: Vale Castle (bus 6/6A of 7/7A), terug vanaf Grandes Rocques met buslijn 3/3B/3C of 7

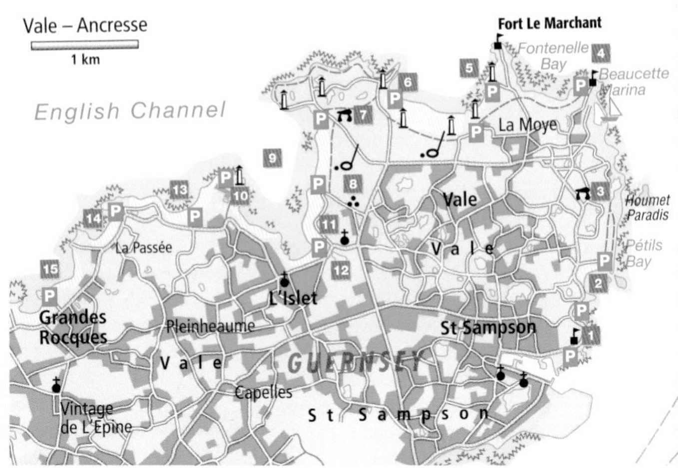

Guernseys vlakke noorden kan het beste per fiets of te voet worden verkend – van baai tot baai, van toren tot toren. De kust is bezaaid met de zo kenmerkende martellotorens: markante ronde torens die in de late 18e eeuw werden neergezet als bescherming tegen een eventuele Franse invasie.

Machtige burcht, mooie baai

De tocht begint ten noorden van St-Sampson, waar hoog boven de kustweg **Vale Castle** 1 ligt; maak vooral de klim naar boven om de ruïne te bekijken. Boven hebt u namelijk een prachtig uitzicht over de oostkust, en naar het zuiden over het enige 'industrieterrein' van Guernsey, met energiecentrale, olietanks en havenkranen. Een voetpad loopt langs het water tot kort voor **Bordeaux Harbour** 2 – met zijn bonte bootjes en lieflijke huisjes misschien wel de mooiste baai van het noorden. Aan de noordzijde gaat de route verder via voetpaden die langs de kust lopen, met uitzicht op het kleine eiland **Houmet Paradis**, dat een rol speelt in Victor Hugo's roman 'Travailleurs de la Mer', en op een stuwmeer met steile rotswanden; het is een vroegere granietgroeve.

Tomaten zo ver het oog reikt ...

Landinwaarts loopt u tussen vervallen tomatenkassen en de bijbehorende verwarmingsinstallaties over kleine straatjes naar de **Dehus Dolmen** 3, die in de scherpe bocht snel over het hoofd is te zien (geen parkeergelegenheid). Het 10 m lange ganggraf met talloze zijkamers is gedateerd in de 4e eeuw v.Chr., de nieuwe steentijd. Bezienswaardig – al is er wat fantasie voor nodig – is de uitgekerfde tekening van een man met baard en pijl en boog op de tweede deksteen van achteren, bekend als Le Gardien du Tombeau (de bewaker van de grot).

Volg de weg, een verkeersluwe Ruette Tranquille, verder naar links; dan gaat het gelijk rechts en tussen twee stuwmeren door naar de Route de la Lande richting **Fort Doyle** 4 (1803) aan Guernseys noordoostpunt – een populaire visplek (geen toegang tijdens schietoefeningen).

Overigens: de echte martellotorens ontstonden pas vanaf 1804 naar een voorbeeld op Cap Mortella op Corsica. Die toren had het de Engelsen bij de verovering zo moeilijk gemaakt, dat ze besloten zelf in de toekomst ook zo te bouwen. Op Guernsey staat de typische Guernsey-martellotoren, die met circa 12 m doorsnee en 10 m hoogte kleiner en sierlijker is dan de latere versies, die genormeerd en puur praktisch werden opgezet en even zo nuchter en praktisch werden doorgenummerd.

Vlakke duinen met veel wind

Na ons uitstapje aan de noordoostpunt gaan we naar het westen en doorkruisen we op de wandelpaden het duin-heidelandschap van Ancresse (fietsers pas op: smalle wegen, soms eenrichtingsverkeer). Er lopen meerdere voetpaden over het heidelandschap, met hier een daar een golfer die met de wind worstelt. Over een afstand van circa 250 m staat hier een hele rij **martellotorens**; ze zijn doorgenummerd van 5 tot 10 en worden geflankeerd door Fort Marchant en Fort Pembroke. Loop over de kiezelige **Ancresse Bay** 5 en de wijd uitwaaierende **Pembroke Bay** 6 met mooi zandstrand en Beach Café. Gezinnen met kleine kinderen komen hier om te zwemmen en te zonnebaden, maar ook surfers bezoeken deze beschutte baai graag.

Militaire geschiedenis even heel dichtbij: La Rousse Tower waakt over Guernseys noorden

Golfbaan met een verrassing

Ancresse Common is een groen genot voor het oog, met hier en daar een prehistorische verrassing. De **La Varde Dolmen** 7 staat ter hoogte van het 17e hole noordoostelijk van Mont Guet Road. Het indrukwekkende ganggraf, dat 12 m lang en 3,5 m breed is, is na La Hougue Bie op Jersey (zie blz. 60) het grootste van de Kanaaleilanden en is even oud, meer dan 5000 jaar. Neem vooral een zaklamp mee om het beter te kunnen bekijken. Nog ouder zijn de resten van **Les Fouaillages** 8, waar de vooralsnog oudste grafvondsten van het eiland werden gedaan. Archeologen troffen er sporen aan van nederzettingen van 6000 jaar oud. De **Millenniumsteen** die er links achter staat, komt in vergelijking daarmee jeugdig over.

Perfecte verdediging

Parallel aan de straat loopt een voetpad langs de grote, met stenen bezaaide baai **Le Grand Havre** 9 – in de vroege 19e eeuw stopte Guernsey hier. Op oude kaarten is nog te zien dat het eiland oorspronkelijk uit twee delen bestond: Clos du Valle en Guernsey. De geul ertussen, Braye du Valle genoemd, werd pas in 1805 op instigatie van de eilandgouverneur Doyle dichtgegooid. De strategisch interessante plek wordt bewaakt door toren nr. 11, de **La Rousse Tower** 10 uit 1779. De enige ingang tot de toren bevindt zich hoog in de dikke muur en was destijds alleen te bereiken via een touwladder. Op de onderste verdieping was munitie opgeslagen; bovenin woonden pakweg tien man – gedwongen eilandbewoners en een officier. Op het platform daar weer boven stond het kanon. Vanaf de toren konden schepen worden aangevallen en verdreven – de La Rousse Tower werd omgeven door een batterij met kanonnen. Iets lager staat het kruitmagazijn, waar een kleine tentoonstelling over de toren is ondergebracht.

Naar de **Vale Church** 11 met zijn stevige kerktoren die oostelijk van Grand Havre stoer de kop op steekt, kwamen gelovigen vroeger per boot. De altaarruimte uit de 12e eeuw is het oudste deel van het huidige bouwwerk. **Vale Pond** 12, een drooggevallen meer tegenover Vale Church, is een restant van de geul tussen Clos du Valle en Guernsey en is tegenwoordig een goede rustplaats voor trekvogels. Een portaal leidt naar het terrein, dat door een muur wordt omsloten.

Baaienparade in het westen

Een kleine baai opent zich achter de duinen in halfronde vorm naar het noorden: **Port Grat** 13. Bij hoge vloed kan hier goed worden gezwommen, bij eb valt het helemaal droog. De nabijgelegen baaien **Port Soif** 14 en **Portinfer Bay** 15 vallen weliswaar ook droog, maar zijn bezaaid met stenen; ze lokken vooral bij hoge vloed veel zwemmers. Natuurliefhebbers zijn meer geïnteresseerd in het heidelandschap met bekermalva, bolletjeskool en wilde venkel.

Informatie

La Rousse Tower: Pasen-half okt. dag. vanaf 9 uur, in de winter wo., za., zo. 10-16 uur, toegang gratis.

Oppassen!

Vanaf Ancresse kan de tocht ook per bus worden afgelegd (lijn 7/7A). Fietsers moeten vanaf La Rousse Tower de drukke kustweg gebruiken: oppassen!

Eten en drinken

Beach Cafés aan Pembroke Bay en Le Grand Havre, als ook nabij La Rousse Tower, waar een **restaurant** ligt (in het Peninsula Hotel, zie blz. 99).

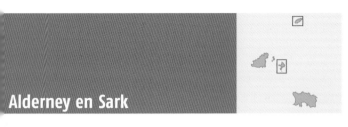

Alderney en Sark

Alderney ▶ M-O 1-2

Alderneys woeste, ongerepte schoonheid is misschien niet ieders smaak. Maar wie echt van natuur houdt en graag eens een blik wil werpen in het dagelijkse eilandleven, moet zich dit uitstapje zeker gunnen – alleen al de vlucht naar dit noordelijkste van alle Kanaaleilanden in een van de kleine vliegtuigjes is een hele belevenis.

St-Anne

Vanaf de luchthaven is het circa 10 min. lopen naar St-Anne, de hoofdstad van het eiland. Op **Marais Square** 1 staat voor de huidige pub Marais Hall het historische bekken waar in de goede oude tijd de runderen te drinken kregen en de veemarkt werd gehouden. Over de met kinderkopjes geplaveide straatjes van St-Anne loopt u door, langs de lage, witte en pastelkleurige huisjes en de Rose & Crown Pub, het steegje Le Huret af, tot u bij de felgele telefooncel bent aangekomen in de High Street. Boven uw hoofd torent de oude **Clock Tower** 2, de klokkentoren van de vroegere dorpskerk, die na de bouw van de nieuwe kerk werd afgebroken.

In het ernaast gelegen **Alderney Museum** 3 wordt de geschiedenis van Alderney verteld, van de steentijd tot aan de Duitse bezetting. Er zijn onder meer vondsten te zien uit een scheepswrak uit de tijd van Elizabeth I, dat in 1992 werd ontdekt (www.alderneysociety.org, dag. 10-12, juni-sept. ook ma.-vr. 14.30-16.30 uur, vanaf 18 jaar £ 2 entree).

Wie Victoria Street even laat voor wat het is, komt uit bij **St Anne's Church** 4 uit 1850. De mooie kerk, die opgetrokken werd uit lokaal graniet en licht kalksteen voor het contrast, straalt vredigheid uit. De architect, sir George Gilbert Scott (1811-1878), was een beroemd gotisch specialist; hij ontwierp onder meer ook St Mary's Cathedral in Edinburgh.

Verder bergafwaarts ontpopt **Victoria Street** zich tot het 'kloppende' winkelhart van het eiland. Hier ligt ook het postkantoor; interessant omdat Alderney eigen postzegels uitbrengt. Aan het einde van Victoria Street gaat het rechts omlaag naar Hafen Braye.

Braye Harbour en Braye Bay

Langs de straat die naar de haven leidt, ligt een huizenblok, parallel aan Braye Bay. In deze pakhuizen werd in de 18e eeuw de 'buit' opgeslagen uit vrijbuiterij en piraterij. **Braye Bay** 5 met zijn perfect witte zandstrand achter de duinen is een van de populairste zwemlocaties van het eiland, vooral geliefd bij gezinnen met kinderen.

De Britse Land-Art-kunstenaar Andy Goldsworthy liet ook op dit eiland zijn sporen na: **Alderney Stones**, kogels met een doorsnee van 1,80 m die op prominente plekken te zien zijn, zoals bij Fort Albert en Longis Bay. Ze zijn gemaakt van aarde uit Alderney, inclusief dat wat er toevallig net op of omheen zwierf (www.artandislands.com/alderney).

Alderney

Bezienswaardigheden

1 Marais Square
2 Clock Tower
3 Alderney Museum
4 St Anne's Church
5 Braye Bay
6 Braye Harbour
7 Fort Albert
8 Fort Doyle
9 Saye Bay
10 Hammond Memorial
11 Corblets en Arch Bay
12 Mannez Lighthouse
13 Fort Houmet Herbé
14 Longis Bay
15 Hanging Rocks
16 The Nunnery
17 Les Etacs
18 Burhou
19 Fort Tourgis
20 Fort Clonque
21 Countryside Interpretation Bunker

Overnachten

1 Braye Beach Hotel
2 St Anne's Guest House

Eten en drinken

1 Georgian House
2 Marais Hall
3 Diver's Inn
4 Braye Chippy

Winkelen

1 Channel Jumper

Sport en activiteiten

1 Cycle & Surf
2 Round The Island Boat Trip
3 Alderney Angling
4 Alderney Golf Club
5 Alderney Railway

In de kleine **Braye Harbour** 6 die door hoge kaaimuren tegen de wind wordt beschut, worden de im- en exportgoederen van Alderney omgeslagen, keren vissers terug na de vangst en werken anderen aan het onderhoud van hun boot. Op de kaai liggen kreeftenmanden en op het water dobberen kleurige kotters. Pakt het bezoek aan de haven toch wat winderig en koud uit, dan is het goed opwarmen bij een portie Fish & Chips bij **Braye Chippy** 3.

Fort Albert en Fort Doyle

Wie de asfaltweg richting oosten om Braye Bay heen volgt en aan het einde daarvan links omhoog afbuigt, komt uit bij **Fort Albert** 7, een van de veertien victoriaanse vestingen van het eiland die tijdens de Duitse bezetting werden uitgebouwd tot een massief betonnen geheel. Boven wacht u een prachtig uitzicht op de baai en de haven, met erachter **Crabby Bay,** inclusief de vesting **Fort Doyle** 8.

Saye Bay 9

De volgende aftakking naar links achter de weg naar Fort Albert, brengt u naar de noordelijk gelegen Saye Bay het zand is er aangenaam fijn en u kun hier veilig zwemmen. Goed verscholen in de duinen ligt de enige camping van het eiland.

Hammond Memorial 10

Het kruis en de gedenkplaten in verschillende talen herdenken de dwangarbeiders die uit heel Europa tussen 1940 en 1945 naar Alderney werden gebracht door de Duitsers, en herinner bezoekers aan hun lijden en sterven. De ombouw van het bijna onbevolkte eiland tot een vesting in Hitlers 'Atlantikwall' werd uitgevoerd door de Duitse bouwmaatschappij Todt en gevangenen uit de concentratiekampen op Alderney die namen droegen als 'Norderney' en 'Sylt' (beide Duitse waddeneilanden). De oorspronkelijke eilandbewoners waren eerder al geëvacueerd.

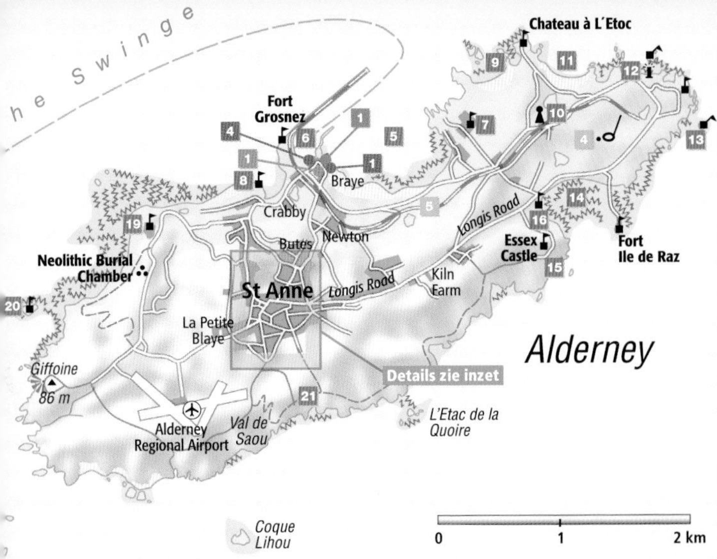

Corblets Bay en Arch Bay 11

In deze twee schilderachtige baaien, omraamd door hoge, grillige rotsen, is het goed zwemmen.

Mannez Lighthouse 12

Pasen en Bank Holiday, juni-sept. za., zo. 15 uur, £ 3

Een beklimming om de 37 m hoge vuurtoren van binnen te kunnen bezichtigen is zeker de moeite waard – er wachten u namelijk interessante panorama's; zo ziet u de 20 km verderop gelegen nucleaire opwerkingsfabriek bij Cap de la Hague. De vuurtoren bewaakt twee zeer gevaarlijke zeestromingen, die voor de noordoostelijke punt van Alderney op elkaar stoten. Op moderne zeekaarten wordt zelfs aangeraden deze pas te mijden. Bij de uiterste noordoostelijke punt steken de resten van **Fort Houmet Herbé** 13 schilderachtig omhoog.

Longis Bay 14

Longis Bay is de mooiste op het zuiden gelegen zwembaai van het eiland, en is goed beschut tegen de noorderwind. Bij eb valt het strand droog, maar het zijn ook de rotsbassins met uiteenlopende zeedieren die de vloed achterlaat, die deze baai een bezoek waard maken. Langs de baai loopt een pantserafweermuur die uit de Duitse bezettingstijd dateert. **Fort Ile de Raz,** dat midden in de baai ligt, is alleen met eb te bereiken (privé, niet te bezichtigen). Zuidwestelijk van de baai zijn duidelijk de **Hanging Rocks** 15 te herkennen, enorme rotszuilen die vervaarlijk voorover hellen alsof ze elk moment in zee kunnen glijden.

Aan de rand van Longis Bay liggen oeroude stenen muren, die een nieuwer – bewoond – gebouw omsluiten, naar het schijnt opgetrokken op de fundamenten van een oude Romeinse vesting. Hier lag tot de 18e eeuw, toen de haven van Braye werd aangelegd, een haven. Archeologen vonden er de resten van Romeinse, Keltische en Normandische nederzettingen. De naam **The Nunnery** 16 roept nog altijd raadselen op – sommigen zijn van mening dat het in Napoleontische tijd een bordeel was voor de soldaten die in het nabijgelegen Essex Castle waren gelegerd.

Een rustige dag in St-Anne op Alderney

Les Etacs 17

Kort voordat het vliegtuig landt, hebt u al gelegenheid een blik te werpen in de kraamkamer van de zeevogels; de twee met vogelpoep bedekte rotsen die voor de kust liggen (en door de poep wit oplichten) worden Les Etacs genoemd. Deze 'vogelrotsen' worden bewoond door een kolonie van duizenden jan-van-genten. Het is een echte bijzonderheid – van zo dichtbij zijn deze vogels zelden te bewonderen. Met een verrekijker is vanaf het **uitkijkpunt** op de kliffen goed te zien hoe ze omlaag duiken naar voedsel. Maak als er boottochten worden aangeboden, vooral van die gelegenheid gebruik: een tocht naar de vogelrotsen is een echte belevenis.

Clonque Bay en Burhou

Het langgerekte, vlakke eiland **Burhou** 18 tegenover Clonque Bay is een paradijs voor papegaaiduikers. De straat kronkelt zich langs het enorme complex van **Fort Tourgis** 19, waarachter links een zandpad naar Clonque Bay leidt. Aan het eind ligt het schilderachtige **Fort Clonque** 20, dat bij vloed volledig omspoeld wordt; het is te huur als groepsverblijf. Vanaf het einde van het zandpad kronkelt de weg in haarspeldbochten de steile heuvel af tot aan de asfaltweg. Door het mooie dal Vau du Saou aan de zuidkust, oostelijk van de luchthaven, lopen paden naar de **Countryside Interpretation Bunker** 21 met een tentoonstelling over Alderneys natuur.

Overnachten

Cottages en appartementen: zie blz. 17.
Chic – **Braye Beach Hotel 1:** Braye St., tel. 01481 82 43 00, www.brayebeach.com Perfect gerenoveerd hotel met restaurant, wellness en heerlijk uitzicht op de baai; 27 kamers vanaf ca. £ 80-103 pp.
Klein privépension – **St-Anne's Guest House 2:** 10 Le Huret, St-Anne. tel. 01481 82 31 45, www.harbourguides.com/stanneesguesthouse. Ingrid Murdoch verhuurt drie kamers met eigen badkamer en blik op de kleine, mooie tuin; £ 40 pp.

Eten en drinken, uitgaan

Degelijk – **Georgian House 1:** Victoria St., tel. 01481 82 24 71, www.georgianhousealderney.com Aan de bar van dit vriendelijke café (ook restaurant) komt u makkelijk in contact met de *locals*.
Lekkers uit zee – **Marais Hall 2:** Marais Square, vanaf 18 uur. Café met eenvoudige maar uitstekende maaltijden met veel seafood; £ 8-10.
Het kleine café aan de haven – **Diver's Inn 3:** Braye St., terras met uitzicht op Braye Bay, binnen bij de hoektafel staat een stokoude duikuitrusting. Lekker *bar menu* (12-14 uur en vanaf 18 uur). Patat £ 1,75, koriander-chiliburgers van lokaal rundvlees £ 5,95.
Fish'n'Chips – **Braye Chippy 4:** aan de haven, do.-za. 17.30-20.30 uur, 's avonds trefpunt van skippers en eilandbewoners; chiliburgers £ 4,50, Cod'n'Chips £5,75, . Geen alcohol.

Winkelen

Truien en sportkleding – **Channel Jumper 1:** Braye St., www.channeljumper.com Producten uit de plaatselijke breifabriek tegen gunstige prijzen; ook outdoorkleding.

Sport en activiteiten

Fietsverhuur – **Cycle & Surf 1:** Les Rocquettes, tel. 01481 82 22 86, huur per dag £ 6-9, afhankelijk van het seizoen.
Boottochten – **Round The Island Boat Trip 2:** info in de viswinkel MacAllister's Wet Fish Shop, Victoria St. De kleine bootjes varen dicht langs de broedrotsen van de zeevogels, en langs de robbenbanken; £ 25 pp.
Vogelen– **Alderney Wildlife Trust:** www.alderneywildlife.org Reserveren voor tochten met gids; informatie in het Alderney Visitor Centre.
Vissen – **Alderney Angling 3:** Victoria St., www.alderneyangling.com, ma.-za 7.30-17 uur. Outdoor-winkel, visuitrusting en aas.
Golf – **Alderney Golf Club 4:** tel. 01481 82 28 35. Voordelig golfen op 18-holebaan in de buurt van Longis Bay.

Informatie en reserveringen

Alderney Visitor Centre: Victoria St., St Anne, tel. 01481 82 37 37, www.visitalderney.com
Milk-O-Punch: op de eerste zo. in mei gratis punch in alle pubs op het eiland.
Alderney Week: begin aug. (eerste aug.-weekend is Bank Holiday op Alderney) gekke competities.
Alderney Wildlife Week: een week in mei; trektochten met gids, www. alderneywildlife.org
Reizen naar en van Alderney: vluchten vanaf Guernsey en Jersey, www.aurigny.com. Afhankelijk van het weer worden

Alderney heeft als enige van de Kanaaleilanden nog een spoor en trein. De felrode wagons van **Alderney Railway 5** – uitgerangeerde Londense metrowagons – worden voortgetrokken door een oude dieselloc. Tijdens zomerweekenden rammelt het geheel over het eiland van **Braye Station** naar de steengroeve **Mannez Quarry** (Pasen - eind sept., za., zo. en op feestdagen om 14.30 en 15.30 uur, www.alderneyrailway.com, £ 4,50).

Sark

Bezienswaardigheden

1 Point Robert Lighthouse
2 Harbour Hill
3 Banquette Landing
4 Derrible Bay
5 Dixcart Bay
6 Visitor Centre
7 St Peter's Church
8 La Seigneurie
9 Window in the Rock
10 Gouliot Headland
11 La Coupée
12 Sark Silver Mines
13 Venus Pool

Overnachten, eten

1 Stock's Hotel
2 La Moinerie
3 La Sablonnerie

Winkelen

1 Lorraine's Pottery
2 Sark Glass Take Two
3 Caraghs Chocolates

Uitgaan

1 Mermaid Tavern

Sport en activiteiten

1 Avenue Cycle Hire
2 AB Cycles

incidenteel boottochten vanaf Guernsey en Jersey en vanuit Franse havens aangeboden (www.mancheiles.com).

Sark

Wie een dagje Sark wil bezoeken, moet zichzelf enige tijd gunnen om de verborgen schoonheid van het eiland te ontdekken. Op dit eiland beweegt men zich namelijk te voet, per koets of fiets voort. Het circa 4,5 km lange en tot 2 km brede eiland is overigens makkelijk in een dag te verkennen. Weg van de brede, stoffige 'highways' lopen nog verschillende smallere paden naar baaien en uitkijkpunten.

De reis naar Sark per boot is al een hele belevenis; u vaart langs Herm en Jethou en de grotrijke kust van Sark, tot u onder aan de vuurtoren **Point Robert Lighthouse** 1 (niet te bezichtigen) de huidige hoofdhaven van het eiland bereikt, die getij-onnafhankelijk is.

In **Maseline Harbour** aangekomen, gaat u door een tunnel waarachter tractortaxi's wachten, de enige motorvoertuigen die op dit eiland zijn toegestaan. Ze brengen de passagiers de steile **Harbour Hill** 2 op (£ 1 pp). Eenmaal boven aangekomen, zijn er nauwelijks nog hoogteverschillen te overwinnen. Parallel aan de stoffige straat, die in haarspeldbochten de heuvel op kronkelt, leidt een pad door een groen en dichtbegroeid beekdal omhoog naar het dorp (max. 10 min.). Helemaal bovenaan, op de top van de heuvel, wachten paarden en wagens de gasten al op.

The Avenue

Het openbare leven op Sark speelt zich vooral op de Avenue af: hier liggen leuke Tea Rooms en kunt u souvenirs en levensmiddelen kopen.

L'Eperquerie

Eperquerie Common is een vlak terrein begroeid met gras en heide, dat naar het noorden toe wat omlaag loopt. Vermoedelijk werd hier vroeger vis gedroogd. Een pad leidt omlaag naar **Banquette Landing** 3, waar kanonnen herinneren aan de verovering van het eiland, 500 jaar geleden.

Derrible Bay 4

De steile afdaling via traptreden moet u echt voor eb plannen – alleen dan kan veilig worden gezwommen in de ondiepe baai, waar zich alleen bij eb een strand vormt. Aan de noordkant liggen meerdere grotten; de imposante **Creux Derrible** met een 60 m hoge 'schoorsteen' is alleen toegankelijk bij eb.

Dixcart Bay 5

De baai met zijn indrukwekkende rotsboog in het midden *(arch)* is een van de mooiste van de Kanaaleilanden. De grotten en kloven aan westelijke zijde kunnen worden bezocht. De dicht begroeide, met varens overwoekerde **Dixcart Valley** heeft iets weg van een jungle. Er loopt een romantisch pad doorheen, langs het Stocks Hotel, omlaag naar de baai. In het voorjaar bloeien talloze bloemen in het bos, zoals viooltjes en sleutelbloemen, en vormen een bloemenzee met witbloeiend daslook en blauwe wilde hyacinten *(blue bells)*.

Visitor Centre 6

In de vroegere basisschool is een informatiecentrum en een kleine tentoonstelling ondergebracht van archeologische vondsten en schilderijen, met name uit de 19e eeuw, over Sark.

St Peter's Church 7

Werp vooral even een blik in het schattige, kleine granieten St Peter-kerkje, dat dateert uit 1820: de kussens op de kerkbanken zijn geborduurd met de wapens en namen van de veertig verschillende landerijen *(tenements)* .

La Seigneurie 8

15 Blz. 112

Window in the Rock 9

Le Port du Moulin was vroeger de haven van de monniken van het klooster St Magloire. De visvijvers die zij aanlegden, worden gevoed door een beek die in de baai uitmondt en die ook de molen van de monniken aanstuurde – vandaar de naam 'haven van de molen'. Later werd hier een platform uitgehakt in het graniet, om goederen met katrollen op te kunnen hijsen of zeewier *(vraic)* op te halen om de tuinen van de seigneurie mee te bemesten. Om het transport naar het landgoed te vergemakkelijken, liet een van de seigneurs in de 19e eeuw halverwege de smalle rots een doorgang uithakken, The Window in the Rock geheten. Pas goed op, want achter dit 'raam' duikt het zonder enige afscherming diep omlaag!

Gouliot Headland 10

Vanaf Gouliot Headland hebt u het beste uitzicht op het voor de kust gelegen eiland Brecqhou, met Herm en Guernsey erachter. Het 65 ha grote **Brecqhou** is sinds 1994 eigendom van de Barclay Brothers, die een soort sprookjeskasteel met kantelen lieten optrekken. De tweeling leeft teruggetrokken; de broers maakten hun fortuin als krantenuitgever en hoteleigenaar (The Ritz); ook hotels op het eiland vallen onder hun concern.

De obelisk **Pilcher Monument** gedenkt de Londense handelaar Jeremiah Giles Pilcher, die in oktober 1868 voor de kust van Sark om het leven kwam toen een plotseling windstoot met hevige regen en invallende duisternis zijn be-

Maseline Harbour, Sark: geduldig volgen passagiers de moeizame aanlegmanoeuvres van het veer uit Guernsey

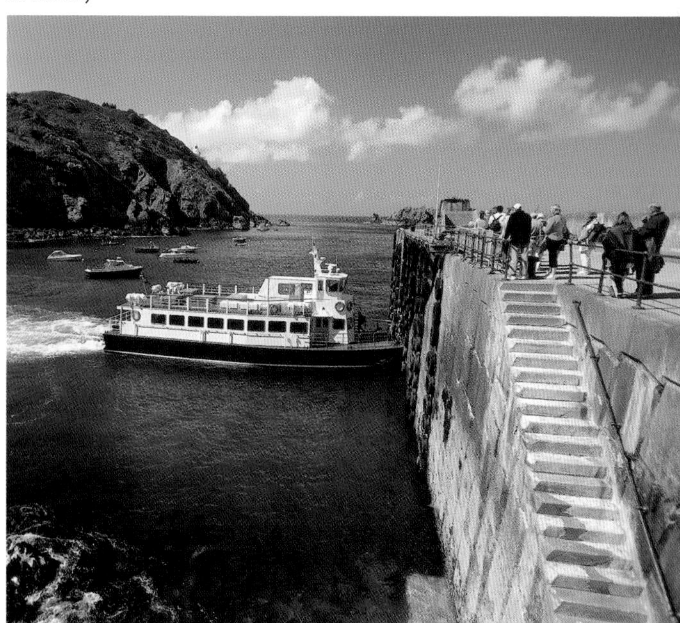

manning overviel. In de **Havre Gosselin** eronder gaan vaak vissersboten en dure jachten voor anker.

La Coupée 11

Deze smalle landverbinding (zie ook blz. 31) tussen Sark en Little Sark is tegenwoordig beveiligd met een hekwerk dat na 1945 werd aangelegd door Duitse oorlogsgevangenen. Koetsen rijden er zonder hun passagiers overheen en wachten aan de overkant om ze weer in te laten stappen.

Little Sark

De vervallen schachttorens van de voormalige zilvermijn **Sark Silver Mines** 12 zijn de stille getuigen van de korte en helaas weinig succesvolle 'zilverkoorts' die in de 19e eeuw Sark in zijn greep hield. De totale opbrengst van de mijn zonk bij het transport, de zee rolde de gangen binnen en de mijnwerkers verdronken. De weg naar het natuurlijke zwembassin **Venus Pool** 13 is alleen zinvol bij eb (2 uur na eb-begin en tot 2 uur voor de hoogste vloed). De wanden van het meer dan 5 m diepe bekken zijn bezaaid met zee-anemonen. Het water warmt snel op.

Overnachten, eten

Een tiental Guest Houses biedt B&B aan tussen £ 30 en £ 70, en er worden cottages en appartementen verhuurd. Adressen vindt u onder www.sark.info.
Modern comfort – **Stock's Hotel** 1: tel. 01481 83 20 01, www.stockshotel.com. Voormalig landhotel dat stijlvol gerenoveerd werd, aan de mooie Dixcart Valley, £ 87,50-125 pp.
Voor genieters – **La Moinerie** 2: de landerijen in het westen van het eiland zijn gewijd aan de wijnbouw; 33 kamers (£ 60-90 pp), uitstekende keuken met veel zeevruchten.
Gastvriendelijk – **La Sablonnerie** 3: Little Sark, tel. 01481 83 20 61, www.lasablonnerie.com. Knusse kamers, in meerdere kleine, individueel ingerichte cottages, ideaal om alles even achter je te laten (£ 30-90 pp). Goede keuken, en de afternoon tea is een aanrader.

Winkelen

Pottenbakkerij – **Lorraine's Pottery** 1: The Avenue. U kunt hier zelf een poging wagen; er worden ook keramiek en zilveren sieraden verkocht.
Allerlei moois – **Sark Glass Take Two** 2: The Avenue. Glas en andere kunstnijverheid, inclusief textiel.
Allerlei zoets – **Caraghs Chocolates** 3: Little Sark, ma.-za. mag u meekijken bij het maken van de bonbons.

Uitgaan

Eilandcafé – **Mermaid Tavern** 1: ma.-za. 10-22 uur. Dit enige echte café op het eiland is het trefpunt voor de *Sarkees* – en een goede tussenstop als het regent. Di. en za. disco.

Sport en activiteiten

Fietsverhuur – **Avenue Cycle Hire** 1: Avenue, tel. 01481 83 21 02, www.avenuecyclessark.com; **AB Cycles** 2: bij Mermaid Tavern, tel. 01481 83 28 44, www.atobcycles.sarkpost.com. Fietshuur tussen £ 6 en £ 10 per dag.

Informatie en reserveren

Sark Tourist Office: tel. 01481 83 23 45, www.sark.info
Sheep Racing: derde weekend van juli, bizarre snelheidsrace met schapen.
Reizen naar Sark: het hele jaar varen veerboten van St-Peter Port, Guernsey (Sark Shipping Co., tel. 01481 72 40 59, www.sarkshippingcompany.com, retour £ 26,30, duur 45 min.); alleen van apr.-okt. vanaf St-Helier Jersey (Manche Iles, tel. 01534 88 07 56, www.mancheiles.com, retour £ 40; duur 45 min.); soms dagtochten vanuit Franse havens met Manche Iles (60-75 min.).

15 Tuinparadijs achter hoge muren – La Seigneurie op Sark

Kaart: ▶ J 13
Vervoer: Per paardenkoets, fiets of te voet

Sark is weliswaar de 'jongste democratie van West-Europa', maar in het landhuis van de voormalige seigneur van Sark lijkt de tijd stil te hebben gestaan. In de tuin, die omsloten wordt door hoge muren, gedijen bloemen en groenten en in de toren koeren duiven, met een bronzen kanon als stille getuige van minder vreedzame tijden.

Het herenhuis zelf, **La Seigneurie** 1, dateert uit 1675 en kan niet worden bezichtigd. De toren en het middenstuk van het complex werden in de 19e eeuw gebouwd door de oergrootvader van de huidige seigneur. Seigneur Michael Beaumont en zijn vrouw wonen overigens vandaag de dag niet meer in het grote, granieten huis.

Duiventoren en een kanon

Eenmaal door de toegangspoort komt u via de bijgebouwen bij de mooie duiventoren met puntdak, de **Colombier** 2 – de seigneur mag als enige duiven én teefjes houden. Direct erachter staat op de **Battery** 3 naast Duits geschut uit de Tweede Wereldoorlog een bronzen kanon dat konigin Elizabeth I in 1572 aan de eerste seigneur Hélier de Carteret schonk. Hij en zijn 39 getrouwen zouden in het piratennest dat Sark toen was, orde hebben geschapen. De eigenlijke reden voor de kolonisatie door de Kroon was het verlangen de waterwegen, die door piraten werden geteisterd, onder controle te krijgen.

Florerende landbouw

In het midden van het vierkant herinnert een oude stenen appelmolen (Cider Press) aan de tijd dat op het eiland nog appelwijn werd gemaakt. Een houten wagen (*dîme* of Tithe Cart), die tot 1957 nog in gebruik was, verwijst naar de feodale tijd toen boeren een tiende deel (dîme) van hun oogst moesten afdragen aan de seigneur. Ook de groene telefooncel is een museumstuk: het is de laatste telefoom op de Britse eilanden die nog met handslinger werkt en magneetgestuurd is. Achter de battery, langs de achterzijde van het huis heuvelafwaarts, grondelen karpers in de **Ponds** 4 (visvijvers) . De monniken van het voormalige klooster gebruikten waarschijnlijk al in de 7e / 8e eeuw de bron **Monks' Well** 5.

Spalierfruit en klimrozen

De tuin is het pronkstuk van het landgoed. Langs de metershoge granieten muren groeit spalierfruit tegen latwerken op en gedijen vijgen en twee soorten tafeldruiven in het **Victorian Glasshouse** 6 (oranjerie) bij de muur. In het goed tegen wind beschutte vierkant heeft men naar 19e-eeuws victoriaans gebruik een sier- en een kruidentuin aangelegd; lage buxushagen delen het geheel op in kleinere vierkanten. De compositie van vaste planten, struiken en eenjarige levert een bonte compositie op die op elk moment van het jaar een genot voor het oog is. De keukentuin met **Vegetable Garden** 7 (moestuin) en **Orchard** 8 (boomgaard) is van recente datum, sinds Café Hathaways de producten gebruikt. De rabarber tiert welig, klimbonen zoeken voortvarend hun weg tegen een decor van allerlei potplanten in de **Pot Garden** 9 met zacht klaterende fonteinen. Een van de oudste elementen in de tuin van de Seigneurie zijn de met buxus omsloten **rozenbedden** 10 uit victoriaanse tijd; de cirkelvormige **Millennium Rose Garden** 11 met zijn weelderige klimrozen werd tijdens laatste eeuwwisseling aangeplant. Een veelzijdige tuin als deze is natuurlijk een enorme klus, en er werken dan ook drie fulltime hoveniers.

De weg kwijtraken op Sark is eigenlijk onmogelijk, zelfs in het eeuwiggroene labyrint, op zijn Engels **Maze** 12. Het werd oorspronkelijk bedacht voor de kleine bezoekers, maar ook veel volwassen zijn maar wat blij als ze de miniburcht in het hart van het labyrint uiteindelijk hebben weten te vinden.

Informatie

La Seigneurie Gardens: www.laseigneuriegardens.com, apr.-eind okt. dag. 10-17 uur, £ 3,50.

Eten en drinken

Naast de ingang van de tuin zijn bij het chique **Café Hathaways** 1, gehuisvest in een voormalige stal, allerlei heerlijke gerechten te krijgen met producten van het eiland, zoals garnalen en kreeft, en groenten en fruit uit de tuin van het landgoed (voorgerechten circa £ 8-10, specials £ 15-17); met een interessante wijnselectie (£ 15-18 per fles).

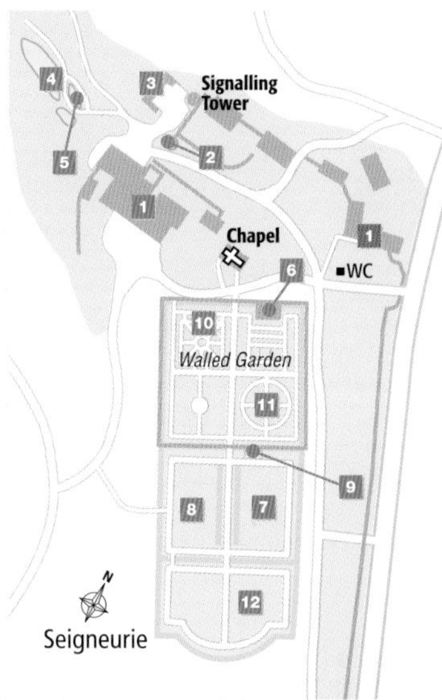

Toeristische woordenlijst

Algemeen

goedemorgen	good morning
goeiendag (na 12 uur)	good afternoon
goedenavond	good evening
tot ziens	goodbye
excuseer	excuse me/sorry
hallo	hello
alstublieft	please
graag gedaan	you're welcome
dank u /je	thank you
ja/nee	yes/no
sorry?	Pardon?
wanneer?	When?
hoe?	How?

Onderweg

bushalte	(bus)stop
bus	bus
auto	car
uitgang	exit
tankstation	petrol station
benzine	petrol
rechts	right
links	left
rechtdoor	straight ahead
inlichtingen	information
telefoon	telephone
postkantoor	post office
vliegveld	airport
stadskaart	city map
alle richtingen	all directions
eenrichtingverkeer	one-way street
ingang	entrance
geopend	open
gesloten	closed
kerk	church
museum	museum
strand	beach
brug	bridge
plein	place/square
enkele rijbaan	single track road

Tijd

3 uur ('s nachts)	3 a. m.
15 uur ('s middags)	3 p. m.
uur	hour
dag/week	day/week
maand	month
jaar	year
vandaag	today
gisteren	yesterday
morgen	tomorrow
's ochtends	in the morning
's middags	at noon
's avonds	in the evening
vroeg	early
laat	late
maandag	Monday
dinsdag	Tuesday
woensdag	Wednesday
donderdag	Thursday
vrijdag	Friday
zaterdag	Saturday
zondag	Sunday
feestdag	public holiday
winter	winter
lente	spring
zomer	summer
herfst	autumn

Noodgevallen

help!	Help!
politie	police
arts	doctor
tandarts	dentist
apotheek	pharmacy
ziekenhuis	hospital
ongeluk	accident
pijn	pain
autopech	breakdown
ziekenwagen	ambulance
noodgeval	emergency

Overnachten

hotel	hotel
pension	guesthouse
1-persoonskamer	single room
2-persoonskamer	double room
met twee bedden	with twin beds
met eigen badkamer	with ensuite
toilet	toilet
douche	shower
met ontbijt	with breakfast
halfpension	half board
bagage	luggage
rekening	bill

Winkelen

winkel	shop
markt	market
creditcard	credit card
geld	money
geldautomaat	cash machine
levensmiddelen	food
drogisterij	chemist's
duur	expensive
goedkoop	cheap
formaat/maat	size
betalen	to pay

Typisch Normandische begrippen

abreuvoir	drinkbak voor vee
colombier	duiventoren
creux	grot
douet/douit	beek, waterloop
etac	rotspunt
grève	grote baai

Getallen

1 one	11 eleven	21 twenty-one	1000 a thousand
2 two	12 twelve	30 thirty	
3 three	13 thirteen	40 fourty	
4 four	14 fourteen	50 fifty	
5 five	15 fifteen	60 sixty	
6 six	16 sixteen	70 seventy	
7 seven	17 seventeen	80 eighty	
8 eight	18 eighteen	90 ninety	
9 nine	19 nineteen	100 one hundred	
10 ten	20 twenty	150 one hundredand fifty	

Belangrijke zinnen

Algemeen

Spreekt u Nederlands Do you speak Dutch?

Ik begrijp het niet I do not understand.

Ik spreek geen Engels I do not speak English.

Ik heet … My name is …

Hoe heet u / jij? What's your name?

Hoe gaat het? How are you?

Goed, dank u Thanks, fine.

Hoe laat is het? What's the time?

Tot straks (later) See you soon (later).

Onderweg

Hoe kom ik bij/naar …? How do I get to …?

Waar is… Sorry, where is …?

Kunt mij misschien … tonen? Could you please show me …?

Noodgeval

Kunt u mij alstublieft helpen? Could you please help me?

Ik heb een arts nodig I need a doctor.

Het doet hier zeer It hurts here.

Overnachten

Hebt u een kamer vrij? Do you have any vacancies?

Wat kost de kamer per nacht? How much is a room per night?

Ik heb een kamer gereserveerd I have booked a room.

Winkelen

Hoeveel kost …? How much is ...?

Ik ben op zoek naar… I need … . I'm looking for

Wanneer opent / sluit…? When does ... open/ ... close?

Culinaire woordenlijst

Bereidingswijze

baked	uit de oven
battered	gepaneerd
broiled/grilled	gegrild
deep fried	gefrituurd
fried	gebakken
hot	scherp (ook: heet)
rare/medium rare	rare/medium
steamed	gestoomd
stuffed	gevuld
well done	doorbakken

Ontbijt

bacon	spek
boiled egg	gekookt ei
cereals	ontbijtgranen
(Full) English Breakfast	Engels ontbijt
fried egg	spiegelei
sausage	worstje
hash brown	aardappelkoekje
jam	jam
marmelade	marmelade (bitter)
poached egg	gepocheerd ei
scrambled egg	roerei

Vis en zeevruchten

bass	zeebaars
brill	griet
cockle	kokkel
cod	kabeljauw
(chancre) crab	krab
flounder	bot
haddock	schelvis
halibut	heilbot
lobster	kreeft
mussel	mossel
ormer	zeeoor
oyster	oester
prawn	gamba
red mullet	mul
salmon	zalm
scallop	jacobsschelp
shellfish	schelpdieren
shrimp	garnaal
sole	zeetong
spider crab	snowcrab (bepaalde krabbensoort)
squid/shellfish	inktvis
turbot	tarbot
trout	forel
whelk	wulk
winkle	alikruik

Vlees en gevogelte

bacon	spek
beef	rundvlees
chicken	kip
duck	eend
ham	ham
minced meat	gehakt
pork chop	varkenskotelet
ribeye steak	ribeye steak
roast goose	gebraden gans
sausage	worstje
sirloin steak	lendebiefstuk
spare ribs	spare ribs
turkey	kalkoen
veal	kalf
venison	ree of hert
wild boar	wildzwijn

Groenten en bijgerechten

bean	boon
cabbage	kool
carrot	wortel
cauliflower	bloemkool
cucumber	komkommer
chips	friet
gherkin	augurk
garlic	knoflook
lentils	linzen
lettuce	kropsla
mushroom	paddenstoel
pepper	paprika/peper
peas	erwten
potato	aardappel
squash/pumpkin	pompoen
onion	ui
pickle	groenten in zuur
Yorkshire pudding	knoedel-achtig bijgerecht

Fruit

apple	appel
apricot	abrikoos
blackberry	braam

cherry	kers
fig	vijg
grape	druif
lemon	citroen
lime	limoen
melon	honingmeloen
orange	sinaasappel
peach	perzik
pear	peer
pineapple	ananas
plum	pruim
raspberry	framboos
rhubarb	rabarber
strawberry	aardbei

Kaas, nagerechten en gebak

cheddar (mature)	cheddarkaas (belegen)
cottage cheese	hüttenkäse
clotted cream	dikke room (wordt geserveerd bij een cream tea)
gâche	vruchtentaart
goat's cheese	geitenkaas
ice cream	roomijs
Jersey wonders	soort beignets
pancake	pannenkoek
pastries	kleine gebakjes
scone	kruimelig, stevig rozijnenbolletje
sponge cake	cake
waffle	wafel
whipped cream	slagroom

Drankjes

beer (on tap/draught)	bier (van de tap)
brandy	cognac
cider	appelcider
coffee (decaffeinated/decaf)	koffie (cafeïnevrij)
lemonade	limonade
icecube	ijsblokje
juice	sap
milk	melk
mineral water (sparkling/still)	bronwater (bruisend/ koolzuurvrij)
red/white wine	rode /witte wijn
tea	thee

In het restaurant

Ik wil graag een tafel reserveren I would like to book a table.
Wacht alstublieft tot u een tafel wordt gewezen Please wait to be seated.
Eten zoveel u wilt tegen een vaste prijs all you can eat
De kaart / wijnkaart alstublieft The menu/wine list, please.
De rekening, alstublieft The bill, please.
ontbijt breakfast
lunch lunch
avondeten dinner
voorgerecht appetizer/starter
soep soup
hoofdgerecht main course
nagerecht dessert
bijgerechten side dishes
couvert cover
mes knife
vork fork
lepel spoon
glas glass
fles bottle
kopje cup
zout/peper salt/pepper
suiker/zoetstof sugar/sweetener
ober/kelnerin waiter/waitress
fooi tip
Waar is het toilet? Where are the toilets, please?
Wilt u bestellen Are you ready to order

Register

Fotoverantwoording
Omslag: Boten in de haven van Gorey op Jersey (Corbis Images)

Bildagentur Huber, Garmisch-Partenkirchen: blz. 86 (Huber); 17, 30/31, 33, 95, 111 (Schmid)
DuMont Bildarchiv, Ostfildern: blz. 12, 55, 77, 81 (Kiedrowski)
istockphoto, Calgary: blz. 60 (Lagadu); 66 Gaflynn; 69 (fredj72)
Petra Juling, Lissendorf: blz. 34, 45, 47, 50, 70, 96, 107, 112
laif, Köln: blz. 6/7 (hemis.fr); 42 (hemis.fr/Manin); 9, 41, 90 (hemis.fr/Moirenc); 79 (Hinous); 83 (Jaenicke); 72 (Jouan/Rius); 11, 15, 18, 27, 101 (Rieger); 63 (Steinhilber)

Notities

Notities

Notities

Notities

Hulp gevraagd!
De informatie in deze reisgids is aan verandering onderhevig. Het kan dus wel eens gebeuren dat u ter plaatse een andere situatie aantreft dan de auteur. Is de tekst niet meer helemaal correct, laat ons dat dan even weten.

Ons adres is:
ANWB Media
Uitgeverij Reisboeken
Postbus 93200
2509 BA Den Haag
anwbmedia@anwb.nl

Productie: ANWB Media
Uitgever: Marlies Ellenbroek
Coördinatie: Els Andriesse
Tekst: Petra Juling, Ulrich Berger
Vertaling, redactie en opmaak: LOS! / Marijne Thomas, Amersfoort
Eindredactie: Mettertale / Joke van Dijk-Jonkhoff, Kockengen
Stramien: Jan Brand, Diemen
Concept: DuMont Reiseverlag, Ostfildern
Grafisch concept: Groschwitz / Blachnierek, Hamburg
Cartografie: DuMont Reisekartografie, Fürstenfeldbruck

Eerste druk
Gedrukt in Italië
ISBN: 978-90-18-03495-5

Paklijst

**Steuntje in de rug nodig bij het inpakken?
Door op de ANWB Extra Paklijst aan te vinken wat u mee wilt nemen, gaat u goed voorbereid op reis.
Wij wensen u een prettige vakantie.**

Documenten
- ☐ Paspoorten/identiteitsbewijs
- ☐ (Internationaal) rijbewijs
- ☐ ANWB lidmaatschapskaart
- ☐ Visum
- ☐ Vliegticket/instapkaart
- ☐ Kentekenbewijs auto/caravan
- ☐ Wegenwacht Europa Service
- ☐ Reserveringsbewijs
- ☐ Inentingsbewijs

Verzekeringen
- ☐ Reis- en/of annulerings-verzekeringspapieren
- ☐ Pas zorgverzekeraar
- ☐ Groene kaart auto/caravan
- ☐ Aanrijdingsformulier

Geld
- ☐ Bankpas
- ☐ Creditcard
- ☐ Pincodes
- ☐ Contant geld

Medisch
- ☐ Medicijnen + bijsluiters
- ☐ Medische kaart
- ☐ Verbanddoos
- ☐ Reserve bril/lenzen
- ☐ Norit
- ☐ Anticonceptie
- ☐ Reisziektetabletjes
- ☐ Anti-insectenmiddel

Persoonlijke verzorging
- ☐ Toiletgerei
- ☐ Nagelschaar
- ☐ Maandverband/tampons
- ☐ Scheergerei
- ☐ Föhn
- ☐ Handdoeken
- ☐ Zonnebrandcrème

Persoonlijke uitrusting
- ☐ Zonnebril
- ☐ Paraplu
- ☐ Boeken/tijdschriften
- ☐ Spelletjes
- ☐ Mobiele telefoon
- ☐ Foto-/videocamera
- ☐ Dvd- en/of muziekspeler
- ☐ Koptelefoon
- ☐ Oplader elektrische apparaten
- ☐ Wereldstekker
- ☐ Reiswekker
- ☐ Batterijen

Kleding/schoeisel
- ☐ Zwemkleding
- ☐ Onderkleding
- ☐ Nachtkleding
- ☐ Sokken
- ☐ Regenkleding
- ☐ Jas
- ☐ Pet
- ☐ Schoenen
- ☐ Slippers

Onderweg
- ☐ Routekaart
- ☐ Navigatiesysteem
- ☐ Reisgids
- ☐ Taalgids
- ☐ Zakdoeken
- ☐ ANWB veiligheidspakket
- ☐ Schrijfgerei

32